WITHDRAWN

Suma y sigue

CLARIBEL ALEGRIA

Suma y sigue

Introducción y selección
MARIO BENEDETTI

VISOR MADRID 1981

NUMERO CXLIII DE LA COLECCION VISOR DE POESIA

© Claribel Alegría
© De la presente edición:
  VISOR LIBROS. Roble, 22. Madrid-20
  I.S.B.N.: 84-7522-143-2
  Depósito legal: M. 42.654-1981
  Fotocomposición: SECOMP
  Impreso en España
  Gráficas Valencia, S. A.
  Paseo de Talleres, 18. Madrid-21

PROLOGO

«Acepto pleitos, / insomnios, / desengaños. / No puedo tolerar la indiferencia.» Nada mejor que este autodiagnóstico de Claribel Alegría (nació en Nicaragua, en 1924, pero se considera a sí misma salvadoreña, ya que desde muy niña vivió en Santa Ana, segunda ciudad de El Salvador) para definir su militante interés por la vida. Claribel Alegría toma partido frente a las cosas, aun las tradicionalmente inanimadas, polemiza con ellas, las provoca: «Los vitrales, / las velas, / han perdido su magia»; «Con las rodillas / con los dedos / camino el rostro de una roca». Naturalmente, las cosas se vengan y la hieren: «Me espantó el crujir de la madera»; «El ritmo de las olas / me martilla»; «Me cerraron el cielo / los ladrillos.» De ese constante conflicto con el mundo, de ese amarlo y odiarlo al mismo tiempo, nace una poesía vital, llena de estupores y reclamos.

Claribel Alegría ha publicado hasta ahora nueve libros de poesía, pero los iniciales (lirismo ingenuo, de ritmo y molde tradicionales) no anunciaban, por cierto, la densa y original expresión que empezó a madurar a partir de *Huésped de mi tiempo* (1961) y *Vía única* (1965), y que alcanza su plenitud en *Pagaré a cobrar* (1973), *Sobrevivo* (1978) y los poemas inéditos (o hasta ahora no reunidos en libro) que aparecen al final de esta antología [1].

---

[1] Claribel Alegría es autora, además, de un relato, *El Detén* (1977). En coautoría con su esposo, el escritor norteamericano Darwin J. Flakoll, ha publicado una antología de poetas y prosistas hispanoamericanos, *New Voices of Hispanic America* (1962); una novela, *Cenizas de Izalco,* que en 1964 fue finalista del premio

En realidad, fue a partir del poema «Monólogo de domingo», incluido en *Vigilias* (1953), que Claribel se encontró a sí misma y, simultáneamente, descubrió el tono más adecuado de su voz. El libro siguiente, *Acuario* (1955), mostró la obra de un poeta adulto que tenía algo que decir y lo decía de un modo personal, incanjeable. Algunos de los poemas incluidos en ese libro («Este espejo me entiende», «Datos personales» y, en especial, «Carta al tiempo») valen, sobre todo, por la presencia de un ser vivo, con sentido del humor y, asimismo, con un intelecto vigilante, que tiende a convertir los melancólicos intentos de comunicación con el mundo en algo así como el reverso de la melancolía. El extraño atractivo de *Acuario* reside, precisamente, en esa indeliberada derrota intelectual, en esa vida que fluye pese a todo.

En *Huésped de mi tiempo,* por debajo de un metaforizar casi coloquial, hay una clave de misterio. Y un misterio que no es siempre el mismo, de modo que ninguna contraseña resulta válida. Cada poema es un secreto aislado, y el lenguaje abierto, cotidiano, sólo un vitral de imágenes que permite el paso de la luz, pero no siempre el de la verdad que la origina. «Yo hablé del tiempo limpiándome el merengue de los dedos», escribe en «Sobremesa». Este peculiar huésped de su tiempo siempre está hablando de él, como si no pudiera sobreponerse a la obsesión de su presencia, pero despista al lector cuando se limpia «el merengue de los dedos». El huésped ha hallado un buen recurso para meterse en honduras y, sobre todo, para cubrir la hondura con una invitación a la facilidad.

Aparentemente, en la mayoría de los poemas, el poeta parte de una anécdota propia (o incorporada a su recuerdo) que no relata; tampoco condesciende a revelar indicios. Empieza a escribir partiendo de un supuesto: que el lector conoce la verdad o debería conocerla, o acaso la adivine. De

---

Biblioteca Breve, en Barcelona, y un «dossier» histórico-político, *La encrucijada salvadoreña* (1980). También han concluido una obra sobre la revolución sandinista: *Donde caen cien, nacen mil,* que aparecerá próximamente en España.

ᴎᴏᴅo que sus poemas son comentarios líricos, o psicológi-
cos, o metafísicos, sobre episodios o rostros o paisajes que
quedan fuera del radio de pesquisa del lector común. Por
eso, a partir de cada poema, el lector puede construir el
suyo, es decir, *su* interpretación.

El hermetismo de Claribel Alegría se diferencia de otros
hermetismos en que no siempre parece tal; por el contrario,
permite que el lector se fabrique su clave y se crea poseedor
del secreto. No obstante, algunas señales vienen a través de
los sentidos. Los sentidos son, en esta poesía, una suerte de
indicaciones camineras que conducen al núcleo inspirador,
al ser humano y femenino que brinda la existencial materia
prima a un intelecto que quiere —y felizmente no consigue—
imponerse. «A cada paso tropiezo con sabores / con olores
que me cierran el camino» («Vísperas de viaje»); «Exploro
mi mundo con el tacto. / A veces el oído» («Libre albedrío»);
«Soy víctima de mis ojos, / mis oídos» («Metamorfosis»).
Entonces el núcleo que aparece es un ser egocéntrico,
generoso («Ni falta me hago a veces») y egoísta a la vez
(«Mírame / no te distraigas de mí»), seguro («Tengo tanto
que hacer / dentro de mí») y a la vez vulnerable («¿Estaré
sola hasta la muerte? / Todas las mañanas lo sabré»). Sin
embargo, lo esencial, lo más importante, es que el lector
tiene conciencia de que se halla frente a un ser conflictivo,
a veces tan desorientado y vacilante como él mismo; a veces
tan optimista y vital como en sus más espléndidos momen-
tos propios. En *Huésped de mi tiempo* hay algunos poemas
débiles de inspiración o de estructura; hay también algunas
caídas al prosaísmo, algunos efectos fáciles, trasposiciones
no logradas. Pero poemas como «Aprendizaje», «Autorretra-
to», «Diálogo», «Solitaria condena», «Búsqueda» y «Minuto
adentro» son verdaderos relámpagos de sensibilidad.

Es probable que, antes de llegar a *Vía única,* la poesía de
Claribel Alegría haya cumplido alguna escala imprevista,
de emergencia, en cierto tramo del dolor. Esto no es simple
deducción crítica. Hay constancia en sus versos: «Mis
derrotas, / mis luchas, / me han hecho el llanto fácil. /
Pienso en ti mientras digo. / Pienso en mí, / en las cosas que

11

ocurren» (en «Se hace tarde, doctor»); «Aquí estoy con mis llagas, / con mi dolor / a solas». Esta última cita pertenece a «Desconcierto». Otro poema del libro se titula «Mis adioses»; otro más, «Confesión». Pero aun fuera de la mención explícita, el libro está lleno de adioses, confesiones, desconciertos. Páginas hay que parecen instancias fragmentarias de una convalecencia. El tiempo presiona como nunca, hunde en el absurdo. Claribel sigue siendo, como en su libro anterior, huésped de su tiempo, pero cada vez parece más sensible al nuevo y cambiante rostro de su despiadado anfitrión.

Como imprevista consecuencia, la poesía ha ganado en claridad. Por supuesto, esto no significa que el verso llegue a ser diáfano, transparente. Las palabras son a veces una mención de superficie, una boya de alarma para que el lector sepa que en el fondo hay rocas, cicatrices, nostalgias. Pero si los sucesos, fechas, lugares, apellidos (datos varios para la curiosidad y otros morbosos computadores) siguen a veces parapetados detrás de su misterio, no es misteriosa, en cambio, la actitud que los compagina, la mirada que los evoca. El poeta ha perdido algo de fervor, de efusión, de ímpetu primario; pero su poesía (particularmente en «Aunque dure un instante», «Se hace tarde, doctor», «Morning thoughts», «Punto de partida», «Pequeña patria», «Mis adioses») ha ganado en profundidad, en concisión, en rigor; tres formas de decir que ha ganado en verdad.

Vía única es un libro de cuentas claras: con las raíces, con el contorno, con el pasado, pero sobre todo de cuentas claras con el abismo personal. Quizá la única vía que propone el título sea la de la verdad sin ripios, sin excusas. Por eso esta instancia de decisiones, de autofranqueza, tiene una fuerza interior que por lo menos no era tan perceptible en los libros que la precedieron. Y cuando el poeta asume la responsabilidad de su invención («Hay algo que me acecha: / el pozo, / el cuarto oscuro. / Se vuelve el agua fría / y malévolo el viento. / Invento una gaviota, / invento lágrimas»); cuando, a pesar de las previsibles com-

12

plicaciones, se decide por fin (en «Punto de partida») a *inventar* su gaviota, ya es consciente de que en esa operación, en ese ejercicio de sus derechos, está también creando su llanto, concibiendo una más humana dimensión de su angustia. Después de todo, compensar la inevitablemente espesa desolación real, con la despejada invención de otras lágrimas, puede ser una forma (acaso la única que nos es permitida) de despistar al dolor y, con un poco de suerte, de vencerlo.

Ocho años median entre *Vía única* (1965) y el siguiente libro de poemas, *Pagaré a cobrar* (1973), y cinco más entre éste y el último publicado hasta ahora, *Sobrevivo,* que en 1978 obtuvo el Premio Casa de las Américas. *Pagaré a cobrar* es un libro de transición, pero en este caso la calificación no implica vacilación ni desequilibrio, sino más bien la singular encrucijada; el hondo dramatismo que sobreviene cuando se apagan los últimos rescoldos de la inocencia, y comparece la vida despojada y escueta, circunvalada de sus muertes. La desaparición del padre, un ser decisivo, influyente y querido en la trayectoria de la autora («La oscuridad se hizo / cuando murió mi padre», dice en «Santa Ana a oscuras»); pero también otros apagones que abarcan no sólo vidas sino también formas de vida, marcan profundamente esta etapa y estos poemas. Y aunque se trata primordialmente de una preocupación existencial, o sea, la que arrastran vida y muerte por sí mismas, también empieza a comparecer el ámbito social, con su conglomerado de solidaridades y de ascos. Unas y otros confluyen, por ejemplo, en un poema como «The American Way of Death», pero también se inmiscuyen, casi de contrabando, en otros («Comunicación a larga distancia», «Marino mundo», «Mi paraíso de Mallorca») cuyos temas más visibles son la compleja, entreverada nostalgia o los oscuros sobreentendidos de la calma. Como bien ha señalado Cristina Peri Rossi, al comentar los últimos libros de Claribel, «a pesar de que los temas de su poesía pueden ser dramáticos, el amor a la vida es la constante de su lírica y explota, tanto en sus evocaciones como en sus recuerdos, sus sueños y esas exploraciones del yo que siempre culminan en un espejo que refleja a una niña» [2].

En *Sobrevivo,* el paisaje, los cielos, los frutos, los recuerdos, son captados por una sensibilidad alerta y colorida, pero el protagonista sigue siendo el hombre, enfocado siempre con calidez y sobria imaginería. Claribel tiene una particular aptitud para la evocación, sobre todo familiar (quizá la muestra más acabada de ese poder rememorativo sea el poema «Traigo flores dotor»), pero rara vez se queda en la detenida imagen de la añoranza; por el contrario, el pasado inmóvil es invadido por el presente dinámico, que aquí y allá siembra culpas y regocijos, responsabilidades y disfrutes.

El lenguaje es sencillo, a veces de una claridad abrumadora, pero el subsuelo de esa llaneza es rico en complejidades y en propósitos: «¿Por qué no detenerme / en esa esquina / y sorprender a la muerte / por la espalda?» (en «¿Por qué no?»). La muerte, que es el convidado de piedra de este libro, sirve también para exaltar la vida. Esto puede advertirse especialmente en el largo y cálido «Sorrow», dedicado a su compatriota Roque Dalton, asesinado en 1975. Acerca de este poema, ha señalado la crítica argentina Basilia Papastamatiu que «no evoca únicamente su vida y su muerte, sino que a su recuerdo se superpone el de muchas otras vidas y muertes que se enlazan en la larga y heroica lucha latinoamericana por la liberación: el Che, Sandino, Víctor Jara, e incluso, Federico García Lorca, español, pero muy caro, muy querido en nuestro continente. Claribel Alegría los cita, reproduce sus gestos, sus voces; quiere servir de canal comunicativo para que, a través de su escritura, ellos sigan inscribiendo su presencia; trata así de ser intermediaria de destinos que la sobrepasan. Siente que ha tenido el privilegio de *sobrevivir* y que este privilegio le impone entonces la tarea de hacer de puente poético, de memoria viva para que ellos y su ejemplo sigan actuando,

---

[2] Cristina Peri Rossi: «Cuatro poetas latinoamericanas», en *Hora de Poesía,* Barcelona-8. Marzo-abril 1980.

sigan existiendo en el pensamiento y en el amor de los pueblos» [3].

Por último, en los poemas agrupados bajo las denominaciones *Raíces* y *La mujer del río Sumpul,* vuelven a darse las dos vertientes esenciales de esta obra: una poesía casi parabólica, de fecundo misterio, casi estrictamente privada, y una vasta metáfora social, atravesada ahora por catástrofes y esperanzas políticas, enriquecida por un decantado reclamo de justicia.

Raíces revela la ardua operación (emocional, mnemónica, casi filosófica) de aferrarse a un origen, aunque esta raigambre se parezca a veces a un abismo. Si *Pagaré a cobrar* es, probablemente, el mejor libro de los hasta ahora publicados por Claribel, *Raíces,* aún inédito, tal vez esté destinado a ser el más coherente, el más armonioso, ya que se trata de una sola y nutricia parábola, y ésta lo recorre y le otorga unidad, concentrada fundamentalmente en un poema tan tierno y tan tenso como «Y soñé que era un árbol»: «Empecé a sacudirme / y las hojas caían».

En realidad, si bien *Raíces* es acaso el más armonioso, también es probable que sea el más desapacible de sus libros, porque el conjunto, el compás, el ritmo interior, son de vértigo y angustia. Quizá por eso los tramos finales de ese libro inédito son previos (y cercanos) a un cambio sustancial en la vida cotidiana de Claribel, y contribuyan a explicar, así sea parcialmente, esa transformación. En plena ansiedad existencial, en plena búsqueda de sus raíces, surge de pronto para el poeta una revelación, una metáfora no literaria sino de vida; algo que lo extrae del «gran pozo de muros transparentes / donde el tiempo da vueltas / mordiéndose la cola». Su gente, ese excepcional pueblo salvadoreño que increíblemente lucha y muere y renace y vuelve a luchar por su liberación, se ha convertido, no sólo en una razón insoslayable de sus nutridas jornadas (Claribel es seguramente uno de los intelectuales salvadoreños que más

---

[3] Basilia Papastamatiu: «La sobrevida poética de Claribel Alegría», en *Casa de las Américas.* La Habana, 110, septiembre-octubre 1978.

activamente participa en la imprescindible tarea de explicarle al mundo, desde todas las tribunas, las causas y los objetivos de esa rebeldía con causa, de esa lucha sin cuartel), sino también en el tema cardinal de su actual poesía.

Poemas como «Desde el puente» o «La mujer del río Sumpul» no habrían podido ser escritos sin esa vinculación estrecha, sin esa honda comprensión y compenetración. Son en realidad enfoques individuales de un clamor compartido, y el lector de esta antología podrá seguramente comprobar que ni la denuncia política ni el ademán solidario han desgastado el rigor formal o el nivel estrictamente poético de esta obra singular. Inesperadamente, el poeta ha recuperado mucho del fervor, de la efusión, del ímpetu primario, que iluminaban sus poemas de veinte años atrás. Claribel, que siempre supo transcribir las constancias del amor y de la vida, también consigue ahora reunirlas y revelarlas en su transparente ritual de patria.

Mario BENEDETTI

A Doña Ana en su vergel,
a Daniel Frederick en el suyo.

VIGILIAS

(1953)

Cómo arrastra su gloria por las calles.
Cómo esperan su paso.
Huele a fruta podrida y a sudores el tranvía.
Me bajaré en seguida.
¡Los ojos del portero!
Es cosa de echarle en el olvido.
Verdes, blancos, violetas, escarlatas.
Las palomas en grupo ungen de amor la tarde.
Una mujer encinta perpetúa el paisaje.
¡El cielo encapotado!
¿Irá a llover acaso?
El portero, el portero.
¿Dónde lo he visto antes?
Sus labios finos, juntos,
y su piel amarilla
y su anillo de oro.
Cuánta gente en las calles.
Caminaré hacia el norte,
donde acaba más pronto la ciudad.
Casas. Tiendas. Casas.
Una ronda de niños en el parque.
Ha crecido la hierba
y amorosamente los recibe.
Cómo se oyen los pies sobre la acera.
Clap, clap, clap.
Ya sienten la fatiga.
Horizontal el pie
como el sueño y la tierra.
Qué pronto el cielo oscurecido.
Ni una estrella visible.
El viento se desata
y resbala en mi cuerpo.
¿Quién dijo que la noche es maternal?
Todo rueda al vacío.
Esta es la calle. Sí.
6.ª Avenida Sur.
Ya comienza a gotear de los tejados.
Las paredes de lágrimas tatuadas.
Se me cierra la noche.
Qué arañada la casa.

Entre todas las casas la más vieja.
Clavados en la puerta están los ojos.
Tartamudea el aldabón en el pasillo.
Las rodillas temblando.
Alguien se acerca, alguien,
como a través de un túnel.
Se ha entornado la puerta.
¿Quién se esconde y me mira?
Es su rostro, su rostro.
Un escalofrío y otro.
No. A mi cuarto no.
Entraré a la cocina a calentar los pies.
No, mejor a mi cuarto.
El gemido temblón de la escalera.
¿Habrá llamado alguien?
No se atreven los ojos a volverse hacia atrás.
¿En dónde está la llave?
Se ha perdido la llave.
No.
El cuarto está vacío.
Y qué sucia la alfombra.
En mi rostro su gesto desencajado y gris.
Qué ademán tan hambriento cuando extiende la mano
de pordiosero altivo.
Adivino. Adivino.
Se vistió de portero
y acecha las entradas,
las salidas.
Quizá será esta noche.
¿Cómo, cómo Dios mío?
Tengo miedo. Estoy sola.
Los senderos, los ríos
me aguardan en sus brazos.
Tengo una cita antigua
con el rosal del parque,
con las lilas, la ceiba,
la sutil telaraña.
Me buscas. Sí. Me buscas.
Olfateo tu aliento.

No quiero despertar en tus tinieblas,
más allá de las horas.
¿Será tiempo de huir?
Por la puerta de atrás, sin hacer ruido.
Dejaré los zapatos.
Todo. Todo lo dejo.
Otra vez la escalera.
Parece lleno de uñas el pasillo.
¿Quién ensombrece el patio?
Algo se ha estremecido.
Pero no hay nadie, nadie.
Qué largo el viaje sin regreso.
Por mezquino que sea
un rincón en el mundo.
Se ha entornado la puerta.
Estoy equivocada.
Se ha entornado y rechina sin haberla alcanzado.
(Es tu mueca burlona rozándome la cara.)
Me anuncia la derrota.
No puedo irme, no.
Me quedaré en tu casa
y subiré corriendo la escalera.

ACUARIO
(1953-1955)

Acuario

Sólo fue un gesto.
Y tuve miedo.
Apreté las rodillas
y me aferré a mi mundo,
a ese mundo de luz que nos rodea.
Y otra vez tuve miedo.
Vivir en un acuario es peligroso,
expuesto a las miradas,
a los pedruscos agrios
que arrojan los vecinos,
a una frase tuya o quizás mía
que lo empañe
o lo rompa.

Sólo eso me queda
para mirar el mundo sin recelo.
Sólo eso, mi acuario,
para atenuar los golpes
y darme la medida
de todos los que salen
y vuelven a su mar,
y de los que se pierden
y mueren en las dunas.
Mi único refugio
¿lo comprendes?
y es tan fácil destruirlo.

A mitad del viaje

Quisiéramos a veces volver a comenzar.
Tomar hilos pendientes
que dejamos hace años
y seguir el dibujo de otro modo.
Me equivoqué de puerta tantas veces
y entré
y estuve sola
y otras veces no entré
porque no pude.
Y en medio del paisaje
con frecuencia me asalta una nostalgia
y estoy desamparada
y recuerdo
ventanas
y sonrisas
y yo pasé de largo.
Es inútil pensar en el regreso.
Seguiré más despacio
y cuando venga el día de atar nudos
podré ver hacia atrás
y quizá encuentre un dibujo insospechado.

Este espejo me entiende

Voy a llegar de noche,
después que hayan corrido los cerrojos,
después de las tertulias y los rezos.
Conozco bien las calles,
las recuerdo,
con su olor a verano
y mansedumbre.
No he podido cumplir
mi cita con la ceiba
y ya esta soledad

me llega a las rodillas
y las dobla.
Desde mi puerta veo
procesiones de sombras
y las voces son ecos
y el viento se perfila
obtuso en las esquinas.
Volveré a mi ciudad
donde los rostros simples de las casas
nos invitan a entrar.
Este espejo me entiende.
Voy a buscar mi imagen
en las cosas de allá.

Carta al Tiempo

Estimado señor:
Esta carta la escribo en mi cumpleaños.
Recibí su regalo. No me gusta.
Siempre y siempre lo mismo.
Cuando niña, impaciente lo esperaba;
me vestía de fiesta
y salía a la calle a pregonarlo.
No sea usted tenaz.
Todavía lo veo
jugando al ajedrez con el abuelo.
Al principio eran sueltas sus visitas;
se volvieron muy pronto cotidianas
y la voz del abuelo
fue perdiendo su brillo.
Y usted insistía
y no respetaba la humildad
de su carácter dulce
y sus zapatos.
Después me cortejaba.
Era yo adolescente
y usted con ese rostro que no cambia.

Amigo de mi padre
para ganarme a mí.
Pobrecito el abuelo.
En su lecho de muerte
estaba usted presente,
esperando el final.
Un aire insospechado
flotaba entre los muebles.
Parecían más blancas las paredes.
Y había alguien más,
usted le hacía señas.
El le cerró los ojos al abuelo
y se detuvo un rato a contemplarme.
Le prohíbo que vuelva.
Cada vez que lo veo
me recorre las vértebras el frío.
No me persiga más,
se lo suplico.
Hace años que amo a otro
y ya no me interesan sus ofrendas.
¿Por qué me espera siempre en las vitrinas,
en la boca del sueño,
bajo el cielo indeciso del domingo?
Sabe a cuarto cerrado su saludo.
Lo he visto el otro día con los niños.
Reconocí su traje:
el mismo tweed de entonces
cuando era yo estudiante
y usted amigo de mi padre.
Su ridículo traje de entretiempo.
No vuelva,
le repito.
No se detenga más en mi jardín.
Se asustarán los niños
y las hojas se caen:
las he visto.
¿De qué sirve todo esto?
Se va a reír un rato

Datos personales

Tengo un metro cincuenta de estatura.
Ojos color castaño.
¿Me atreveré a reír,
a preguntar,
a destruir la armadura que me han puesto
y a gritar de vergüenza?
Sé leer y escribir,
mas no he podido aún olvidar mis rencores.
Nunca estuve en la cárcel.
¿A qué tantas contraseñas
si es más difícil que antes conocernos?
Por las noches me duele lo que he dicho.
En sueños me disfrazo.
Vivo un papel absurdo
del cual olvido el texto.
Me identifica un número y me ahogo de sed.
Pero a pesar de todo surge el canto
y no saben qué hacer en las aduanas
y lo dejan salir.

HUESPED DE MI TIEMPO
(1958-1961)

Vísperas de viaje

Hoy tuve una caminata valparaisiana.
Sobre una taza de café
conversé contigo,
contigo que hace tanto que no veo.

En estos días agudamente sensitivos,
soy una serie
de explosiones sordas,
de derrumbes,
de cimientos frescos.
A cada paso tropiezo con sabores,
con olores que me cierran el camino.

Mientras empaco la porcelana,
pienso en la noche del viernes:
La figura de Salvador
bailando el tango,
la timidez de Manolo.

¿Cuál de mis recuerdos llegará roto?
Hay una grieta por donde se me escapan,
por donde continuamente
pierdo diálogos y rostros.

Tengo miedo de quedarme indefensa,
de que el nuevo diluvio

me cubra totalmente
las antiguas señales
y se trastorne mi paisaje
y se me vuelva tierra hostil
y sin relieve.

Hoy pude encontrar
una tarde en Valparaíso:
un poco petrificada,
pero no importa.
Reconozco sus contornos:
los ojos de Mariluz,
su gesto,
contra el fondo de hojalata
de una casa
que miraba a la bahía.

Autorretrato

Malogrados los ojos.
Oblicua la niña temerosa,
deshechos los bucles.
Los dientes, trizados.
Cuerdas tensas subiéndome del cuello.
Bruñidas las mejillas,
sin facciones.
Destrozada.
Sólo me quedan los fragmentos.
Se han gastado los trajes de entonces.
Tengo otras uñas,
otra piel.
¿Por qué siempre el recuerdo?
Hubo un tiempo de paisajes cuadriculados,
de gentes con ojos mal puestos,
mal puestas las narices.

Lenguas saliendo como espinas
de acongojadas bocas.
Tampoco me encontré.
Seguí buscando
en las conversaciones con los míos,
en los salones de conferencia,
en las bibliotecas.
Todos como yo
rodeando el hueco.
Necesito un espejo.
No hay nada que me cubra la oquedad.
Solamente fragmentos y el marco.
Aristados fragmentos que me hieren
reflejando un ojo,
un labio,
una oreja.
Como si no tuviese rostro,
como si algo sintético,
movedizo,
oscilara en las cuatro dimensiones
escurriéndose a veces en las otras
aún desconocidas.
He cambiado de formas
y de danza.
Voy a morirme un día
y no sé de mi rostro
y no puedo volverme.

Epitafio para un perro

A Erik.

Cuando muere un perro
queda muerto.
Lo podré arreglar
me asegurabas;
como si fuese de resortes

y engranajes.
La palabra muerte
dejándote su marca.
Tiene un filo amargo,
un sentido de culpa
y de final.

Lo llevaremos a enterrar.
Hay un hoyo en el fondo
con orillas de barro.
Un hoyo boquiabierto
donde acaban los perros.
No me miras como antes.
Tus juegos infantiles
ya teñidos de muerte.

Hemos quedado solos:
tú,
yo,
mirándonos de lejos
a través de la fosa.

Aprendizaje

No puedo recordar
qué nos dijimos,
cómo pasó.
Eran largos mis trajes.
Me peinaba de moño.
Pasó.
Eso fue todo,
cuando era yo inocente.
Hubo presagios:
una avidez de calles,
de caminatas largas,
de estrujar hojas secas.

Sentada en mi colina
veía atardecer.
Era terso el paisaje:
azul morado,
azul espeso,
Habría sido difícil no amar
con ese tiempo,
ese paisaje
y mi inocencia.
Comencé a conocerme.
Esperaba a mi hija con asombro.
Fui creciendo con ella.
Descubrí mis dedos,
recogía minucias con mis dedos
y me alegraba.
Me espantó el crujir de la madera,
reía de mi espanto,
registraba las voces
y los gestos.
Lo otro,
pudo haber sido un accidente.
Pero aquí,
ante mí,
mi hija.
Cerraba el destino una puerta
y me abría otra.
Vino después un tiempo de conciertos,
de bailes,
de señores besándome la mano,
de matronas con tiara
y sonrisas de cóctel.
Comencé a distanciarme.
Fue un tiempo de celos
y desacuerdos
y vacío.
Una tarde al volver
apenas lo alcanzaba.
Lo llamé a voces,

«hablemos», dije,
«¿Quién eres?»
El oficio de madre es honorable,
además, necesario.
Y el de mujer también,
y el de vecina.
No quedan huecos en mi día.
Todos mis huecos se llenan
de uñas rotas,
de verduleros,
de recibos que hay que pagar.
Me voy gastando en eso,
voy dejando residuos
en todos los rincones.
Me descubro
en la mesa del comedor
mientras sacudo,
en los uniformes de los niños,
en los cuellos de las camisas.
No me encuentro por días.
Paso delante del espejo
sin reflejar mi imagen.
No tengo tiempo
de conversar conmigo.
Ni falta me hago a veces.
Vivo cuando me premian
con puestas de sol
y risas de mi niño.
Acepto pleitos,
insomnios,
desengaños.
No puedo tolerar la indiferencia.
A veces mi marido
con un aire de sabio
dice que la vida es esperanza.
Yo sonrío
y digo que sí por complacer.
Pero aquí, entre nosotros,

no lo he creído nunca.
La vida para mí
es horror al vacío.
Cuando era yo inocente lo ignoraba.
Más tarde comprendí,
luché con el vacío,
lucho con él a diario.
No es la vida esperanza,
es más volátil,
más precisa.
Un algo menos que el amor,
un algo más que la jornada.

Sobremesa

Me llamó.
Dije que sí.
Hablamos del teatro,
de trajes,
del suicidio.
Ella dijo: No puedo más.
La fatiga.
Me arrastro.
Yo hablé del tiempo
limpiándome el merengue de los dedos.
Ella espantó una mosca.
(Oscura ya en la tierra,
hoja caída, piedra, incipiente carbón.)
Vi su cuerpo.
Lo vi desfigurado
por la conquista inmóvil de la muerte,
por los rasguños míos
hechos durante largos años a la muerte
queriendo poseerla,
adivinarla,
palpar su rostro de metal pulido.

Una muerte como no vi jamás.
No la muerte fácil que va de boca en boca;
la otra,
la que pudre.
Merece un rito cada vez que se nombra,
hacerle signos como al mal de ojo.
Se la llevaron a enterrar
con mis araños,
con mi trivial imagen de la muerte.

Desvaríos

Un funeral es semejante a.
Se desliza la tierra entre sus dedos.
El primer puñado.
No conozco a nadie.
Allí están Nelly,
Alberto, Rosa.
Todos con una máscara.
¿A qué se parece un funeral?
Anoche en la vela,
cuando llegaban los amigos
me la puse para saludar.
Les ofrecí café
y me daban el pésame.
Antes clavaban los cajones.
No podría sufrirlo.
Todos los días me visto
en la misma forma:
el zapato izquierdo,
automáticamente es el izquierdo.
Vuelven los rostros
hacia un pájaro.
Por un instante, apenas,
dejaron de ser máscaras.
Esta mañana en la iglesia
yo también me aburrí.

Había una señora.
Se transformaba su sombrero.
Oscilaba entre un plato
y una ostra.
Un funeral es como vestirse diariamente,
una rutina inevitable.
Ha caído la tierra
sobre el ataúd.
Se dispersa la gente,
forman grupos, conversan,
me dejan indefensa.
Está muerta,
está muerta.

Diálogo

Tengo que darte mi noticia.
A pesar del sol
voy a llevarte
a un rincón de sombra
donde el mundo nos llegue
apenas en murmullos.
Quiero clavarte con mis ojos
y decirte:
"Mírame,
"no te distraigas de mí.
"Te amo,
"pero hay algo más,
"algo que he nutrido en mi vigilia,
"que limpié de malezas.
"Es verde,
"vertical.
"Lo han aprendido todos mis yo
"y no he podido explicarte.
"Hubo trozos de tarde.
"Son tan cursis

"que es penoso nombrarlos:
"Horas de luz
"y versos
"y olas en la playa.
"No te muevas.
"El próximo paso,
"el más difícil,
"es llegar a ti,
"darte mi noticia
"con un gesto
"anterior a la voz.
"Si entendieras,
"de nosotros saldría el universo
"renovado,
"santificado."
Sonríes.
Tus ojos apuntan al vacío
que hay detrás de mi hombro,
al infranqueable muro de mi claustro.

Búsqueda

Si se extingue mi antorcha será oscuro.
Oscuro como detrás de los ojos.
Mi viaje sin regreso
y este túnel mi tumba.
Un túnel como el vientre de una madre.
Su misma arquitectura.
Su clima de señales y penumbra.
Por este laberinto hasta encontrarlo.
Por este vientre adonde nacen ríos.
No volveré a temer la cresta del invierno
ni el maxilar caído.
En santuarios de sombra
construyendo castillos con mis conchas,
con mariposas muertas y con hojas.

Alguien me acecha.
Salta la daga de mis dedos
y contra mí se vuelve.
Nos miramos inmóviles los dos.
Mi mano reflejada.
El traje que me envuelve.
La misma frente.
Súbitamente yo con mis ojos de opio.
Creí que tendría forma de serpiente,
que sería un insecto.
Súbitamente yo.
¿Haré del túnel tumba?
Afuera, el viento aguarda.
Mis disfraces, mis velos,
yacen ahí, destruidos.
¿Estaré sola hasta la muerte?
Todas las mañanas lo sabré.

Metamorfosis

Mi penúltima rosa
fue una flor de palabras.
Ahora me ahondo en su color,
me detengo a tocar sus pétalos,
aspiro su perfume
y no barniz de imprenta.
Cerré los libros
y se me abrió un mundo
incandescente,
volcánico,
del tercer día de la creación.
Anduve sacudida
por amores
y llanto
y deseos
y miedo.
Arranqué de cuajo mis raíces,

estornudé a las gentes
que giraban en el torbellino.
Me construí una casa
en espiral
a prueba de viento
y de pasiones.
Salí,
con ella a cuestas
a buscarme.
Mas,
caracol,
caí.
Danzo atrapada
en la red del canto,
el amarillo
y los olores.
Me esfuerzo en recordarme,
en descubrirme,
en eludir las tenazas del vacío.
El ritmo de las olas
me martilla,
el clavo de la luz.
Soy víctima de mis ojos,
mis oídos:
una fugaz viajera
que se embarcó en mi cuerpo
y paga su pasaje
con estupor.

Solitaria condena

Aquí había un vergel
con un árbol,
seis pájaros,
el sol.
Tensa de vida te esperaba
y no llegaste.

Quise guardar el árbol
con sus hojas,
levanté un muro
contra el viento,
fui áspera
y fui tierna.
No llegaste.
Los pájaros
se impacientaban.
Sentí miedo
y los detuve.
Quería guardarlo todo para ti.
No llegaste
y no llegaste.
Cayeron las hojas
entre pájaros muertos.

El árbol se convirtió
en mesa,
en silla.
Me cerraron el cielo
los ladrillos
y se extinguió la magia.
No te espero más.
Sin embargo,
qué falta me haces.
Todas las mañanas en mi celda
me siento a recordar.
Lo hago por costumbre,
porque sí,
por ver si revive el vergel
que gastó el tiempo,
la sequía,
mi afán de resguardarlo.
Casi puedo a veces
ver tus hojas,
oír tu canto,
sentir tu sol.

Minuto adentro

Voy a desnudar este minuto,
a despojarlo de sus telas.
Lo voy a desnudar
como nadie lo ha hecho antes,
como nadie lo hará después de mí.
Porque soy única.
¿Quién puede sustituirme?
Este minuto,
el que he inventado yo,
es distinto del tuyo,
tan distinto
que parece de otro planeta.
¿A quién soy igual?
¿A ti?
No te conozco.
Me gustaría cambiar ideas.
Más tarde, claro,
tiene que ser más tarde.
Tengo tanto que hacer
dentro de mí.
Apenas he quitado
la primera tela
del minuto.
¿Quién soy yo?
Soy el traje
que vi esta mañana en la vitrina.
Soy el estudiante
y la hija del pescador
en el matiné del sábado,
que pelean,
se hacen el amor,
pasean del brazo por la playa.
Soy el taco
que tiene que ser reparado
y me lo recuerda a cada paso,
los quince pesos que necesito

para pagar la leche.
Todo eso soy yo.
A veces me pregunto
cuánto soy mi deseo
de ejercer como esposa,
madre,
ama de casa
que regatea con el carnicero,
vigila su jardín,
no comete un error
en el libro de cheques,
sabe abastecer el coche
con gasolina,
aceite,
agua,
aire.
Bien poco pienso yo.
Recuerdo que una vez
puse todo mi empeño
en ser madre perfecta.
Anduve tonta por largos meses.
Cuando volví a ser yo
hasta mis hijos notaron la mejoría.
Ha caído otra tela del minuto.
Ahora es más oscuro,
más difícil.
Una luz débil ilumina la entrada.
Tengo miedo
y no tengo.
Es parte mía,
una parte mía inexplorada,
acaso inexplorable.
Dicen que los que comen
de la flor del loto se trastornan,
que se olvidan del mundo,
de la vida.
No estoy preparada para el viaje,
no lo quiero.

Por ahora no quiero.
El minuto en mis manos,
el minuto cebolla.
Yo,
el minuto,
el miedo.
En el fondo de cada minuto
hay un latido.
Ya no existe el minuto.
Es el latido,
el latido de mi corazón.
Por eso no me atrevo.
No quiero entrar a la gruta.
Dicen que hay lugares
donde mueren los viejos
cuando ellos lo desean.
Simplemente se acuestan,
la cara vuelta a la pared.
Me pregunto
si no han desnudado la cebolla,
si han entrado a la gruta.
Tengo miedo que adentro
se acaben los minutos,
los latidos.
Tengo miedo de volverme alucinada
y no regresar nunca
a los tacos rotos,
al traje en la vitrina,
al matiné del sábado en la tarde.

VIA UNICA
(1963-1965)

Té con las tías abuelas

Hay un tema de oboes:
tres notas juguetonas
de las tías abuelas.
Uno tras otro
Sus rostros de duende
se repiten.
La señorita Soto
irradiaba el hastío.
Como una brisa insípida
paseaba su mirada
por los estudiantes,
por las verduleras de grito plañidero.
En esa infancia,
en mi crisálida de sonidos,
de paredes de adobe,
de gestos familiares,
era fácil ser yo.
Aprendí a ser florero,
a tocar valses de Chopin
con un desgano anémico.
Las damajuanas despóticas
me ablandaban,
me modelaban.
Detrás de los ojos de don Chico,
detrás de su perfil de barro crudo,

adivinaba un vuelo de azacuanes;
su lejano alboroto
señalándome el cambio de estación.
Algunas voces quedan:
rincones que no me atrevo a explorar,
pálidas fieras que me acechan,
grutas donde caen las gotas del tejado
y descubrí en mis juegos.
Gota a gota
me desnudan los días,
se oscurecen los rostros,
se me borran mis santos.
Es difícil
saberme irremediable,
estridente de aristas,
erizada de mí.

Aunque dure un instante

A Bud

Ahora,
mientras el río de obsidiana
nos refleja,
quiero hablarte de amor,
de nuestro amor,
de los diversos hilos
de su trama,
del amor que se toca
y es herida
y que también es vuelo
y es vigilia.
Sin él,
el verde de las hojas
no tendría sentido,

ni el farol de la calle
iluminando el agua,
ni la imagen ondeante
de la iglesia.
Mi amor es la escudilla
en la que tú dejaste una moneda,
la moneda tañéndome que existo,
la trenza que forjan las palabras,
el vino,
el mar desde la mesa,
los malentendidos,
los días
en que nos damos cuenta
que ya no somos uno,
que estamos alejados
irremediablemente.
Ayer,
desde mi exilio,
inventé que llegabas.
Salí del hielo,
espanté pingüinos,
desplacé a las estrellas
acechando tu desembarco.
Quería ayudarte a plantar banderas,
celebrar de rodillas
el milagro.
Ahí quedé
con mis señales.
¿Te sorprende mi vértigo?
Estoy hablando de eso:
de la alegre punzada
de saber que sí,
que de pronto es verdad,
que no estoy sola,
que estamos juntos bajo el árbol
con mi mano en tu mano,
que nos refleja el río,
que ahora,

en este instante,
en este ahora,
aunque dure un instante,
estás conmigo.

El abuelo

Me mira,
desde un daguerrotipo
con el marco ovalado.
La figura frágil,
apoyada su mano
sobre el espaldar barroco
de una silla,
la garganta hundida
detrás de un cuello muy alto.
Para mí fue el tronco,
el único abuelo.
Nació gran señor.
Su vida,
una lenta bancarrota.
En la casa de paredes añosas
de un metro de ancho,
sentados sobre el poyo
de la ventana,
me contó de su tía,
de cómo enrollaba hojas
de tabaco
y asoleaba en el patio
sus monedas de plata.
Desde el avión que llega,
que me trae,
adivino su gesto.
Me siento lejos de él.
Imagino el paisaje
caminando a paso de hombre:
las hojas,

la yerba,
la tierra oscura,
volcánica,
las chozas con su cerco
de izote.
Vivió París:
Le Bois de Boulogne en carruaje,
conciertos,
champagne,
un Don Juan salvadoreño
con sombrero de copa
y con bastón.
Soy fruto de su derrota,
segunda cosecha
de sus años grises.
Ante el alto escritorio,
sin notar la penumbra
que crecía,
recitaba en voz lenta
Lamartine.
No supo darse cuenta.
Le quitaron sus fincas
los banqueros.
Las bodegas,
los cofres
se quedaron vacíos.
Siguió ensimismado
entre sus libros,
musitando a Voltaire
y a Buffon:
en su gran biblioteca,
desvalido.
Se vendieron las sábanas de lino,
el servicio de plata,
renunciaron los hijos
a estudiar secundaria
y falleció la abuela.
Van a construir un techo

sobre el patio.
El nuevo dueño alaba el escritorio.
Tiene varios cajones
para libros de cuentas.
Sonrío,
digo que sí.
Paso mi mano
por la madera.
Miro el polvo,
el blanco polvo centenario.
Dibujo con el dedo
una muñeca,
una niña de trenzas
y falda corta.
Sonrío,
digo que sí,
que cómo no,
que por supuesto.

Se hace tarde, doctor

Llegó hasta El Salvador sobre una mula.
Venía de Estelí,
de Nicaragua,
de aquella tierra azul
con olor a becerros
y a tiste.
Estudió bajo la luz de los faroles.
Ganó medalla de oro.
Pero no.
Quiero ser más precisa.
Lo veo,
llevándonos a cuestas por el patio,
haciendo de león para asustarnos,
mirándome a los ojos y diciendo:
«para un viejo
una niña

siempre tiene el pecho de cristal».
Recuerdo:
mi sofocante asombro,
mis preguntas,
las paredes de cal,
mis pantorrillas
que nunca me engordaban,
los arcos,
el jazmín,
el porte de mi madre,
su manojo de llaves
en el cinto.
A veces, por la noche,
mientras la luna
alumbraba los gatos de las tejas
y se oía chirriar a las cigarras,
nos habló de Sandino,
de sus hombres,
de las largas marchas por la selva,
de los marinos yanquis,
desde arriba silbando sus helldivers
para herir la columna.
Nos hablaba también de la cesárea,
de descubrir al niño acurrucado.
En días de neblina
subimos al volcán,
el rocío lamiéndome las piernas,
con orquídeas las ramas
y con musgo.
Subíamos al sol,
hasta la cumbre,
otra vez hasta el sol de Centroamérica.
Yo quería correr,
era el ama de casa;
salir a buscar nidos,
alisaba el mantel.
Mi hermano, canturreando,
hacía saltar piedras

61

sobre el lago de azufre,
de esmeralda.
Tu aire de patriarca
nos cohibía.
Presidías la mesa
como un señor feudal.
Quiero hablarte de mí,
de cómo soy.
Conservo mi egoísmo,
sigo haciendo complots
para ganar cariño.
Se hace tarde, doctor.
Los dos amanecimos
junto a un niño enfermo,
nos aburrimos
entre gentes extrañas,
hicimos el ridículo,
tropezamos,
caímos,
tuvimos que aceptar.
Me legaste riquezas:
Sandino, por ejemplo,
la unión de Centroamérica,
el afán de tener una cesárea.
El exilio nos duele.
Nos incomoda a veces
nuestro papel de padres.
Sigo pensando en mí con prioridad.
No soy tu hija ahora,
soy tu cómplice,
tu socio.
Mis derrotas,
mis luchas,
me han hecho el llanto fácil.
Pienso en ti mientras digo.
Pienso en mí,
en las cosas que ocurren.

Líneas rectas

No me interesa usted, señora Mowry.
Me aburre su colección
de porcelanas,
sus dos pekineses
dejando pelos largos
por las sillas.
Mi ovejero fue noble.
Repasábamos juntos
las calles provinciales.
Si quería extraviarme,
una tía
o un cura
nos cerraban la esquina.
Aprendí a caminar en línea recta.
Volé por línea recta
al extranjero.
Bajé entre rascacielos
y caminos más anchos.
Siguen bebiendo,
gesticulando,
conversando.
Sólo yo estoy viva,
sólo yo con mi carga.
Memoricé el idioma
para ajustarme al molde.
Conocí a muchachas peligrosas
que rompían las normas.
Discutí la moral,
la perseguí en los textos.
Al revés de mis sueños
se movía una sombra.
Cultivé compañeras
con la mirada dulce
de mi madre,
autores
con el sello arbitrario

de mi padre.
Pero quise a la vez
a dos marinos;
pero rompí mi taco en un concierto;
pero empezó mi amiga
con las náuseas;
pero mi tío
se ahogó.

Morning Thoughts

Hoy la luz es lechosa.
Me llegan titilando los olores.
Las cosas que recuerdo
—como un potrillo torpe
asaltaba el regazo de mi madre—
¿No lo sentiste así?
En un salón ruidoso
te encontré.
Hablamos de la India,
de T.S. Eliot,
del neorrealismo italiano.
Desde mis viente años te miraba,
desde mi soledad
y mi deseo.
Surgen ahora rostros:
fatigadas meseras
retirándome hostiles
el menú,
empleadas de almacén
que me llamaban «honey».
En medio del asfalto
me ofreciste una encina.
Fue solamente un préstamo,
un pagaré a cobrar.
Con retazos de olores,

con cumplidos,
cada uno midió su desamparo.
Me fastidian los pájaros que chillan,
tus ideas políticas,
ese cuadro torcido.
Fuimos dos soledades
impermeables.
Con sigiloso empeño
hicimos presupuestos
y el amor.
Aprendí que reírse alivia,
que el calor de tu piel,
sin palabras,
sin sexo,
me disfraza el vacío.
Soy una boya,
un corcho
que se levanta
y cae,
un ala templada por el viento,
un grito ronco,
inútil,
mendigando ternura.

Punto de partida

Me dejó el río
náufraga
sobre una isla de su delta.
Relámpagos inciertos iluminan la nada.
Bajo mis pies
el fango.
No hay rumbos marcados
ni faroles.
Los amigos espejo se esfumaron.
Invento la luz.
Las nubes se vuelven gris perla.

Agrego una brisa
y se agita el agua.
Poco importa quién soy:
un punto vigilante
y por ahora basta.
Antes de inventar una gaviota
debo pensarlo bien;
traen complicaciones.
Si te inventara a ti,
podríamos comunicarnos por un rato.
Tendríamos en común el río
y el lodo
y las nubes.
Nos reiríamos colaborando
en un cangrejo.
Conversaríamos
hasta que de nuevo me inventaras
ajena a mí.
Hay algo que me acecha:
el pozo,
el cuarto oscuro.
Se vuelve el agua fría
y malévolo el viento.
Invento una gaviota,
invento lágrimas.

Pequeña patria

Detrás de mí
un remolino de huérfanos pálidos,
de niños con el vientre hinchado,
de madres pordioseras
exhibiendo a sus hijos
llenos de moscas,
de mendigos astutos
que invierten su vida

en una pierna morada de costras
y vendas sucias.
Me detengo y grito:
«Se está cayendo el cielo».
«Queridas»,
comenta la señora gorda
mientras baraja el naipe,
«¿saben la última noticia?
Dicen que el cielo se está cayendo».
A las tres de la tarde
se abre la reunión de directorio.
Me levanto y digo:
«Señores,
hay un solo capítulo
en la agenda de hoy:
se está cayendo el cielo».
El gerente se agita.
«Propongo», exclama
«la construcción de una caja fuerte
debajo de la tierra.
Debemos proteger nuestros archivos,
los valores».
Llama el centinela al cuartel
con la noticia.
«Que las tropas vestidas de campaña
se formen»,
increpa el general,
«que levanten rifles y bayonetas,
que sostengan el cielo».
El día está nublado.
Se cumple una cuota normal
de actividades.
Los carniceros venden tres cuartos
a las amas de casa
y cobran un kilo,
las solteronas ventilan sus odios
en aulas de pupilos,
los donjuanes

se pavonean con sus amigos
mientras las criadas
arruinan la comida
y contemplan el aborto.
Pronto el arbolito de café
dará cerezas rojas,
la caña, miel,
los desfiladeros de algodón
nubes carnosas
que habrán de convertirse
en Cadillacs,
en una noche de casino,
en el alquiler de una suite en Cannes.
Me siento a la mesa de los intelectuales.
«¿Qué haremos?» pregunto.
«Se está cayendo el cielo».
Sonríe el viejo radical.
Hace veinte años lo predijo.
«¿Y si fuera verdad?»
pregunta el joven iracundo
«¿qué haremos?»
Con ademán ajustado
al significado histórico
saca su pluma
y comienza a redactar sobre el mantel
un manifiesto de intelectuales y artistas.
Hace días que no salgo.
El cielo no se cae.
Los políticos lo han dicho,
los directores,
los generales,
hasta los mendigos lo afirman.
Para cada señorito
hay una criada encinta
manteniendo equilibrio.
Para cada señora gorda
un tuberculoso que recoge algodón,
para cada político

un ciego con bastón blanco.
Todo es lícito.
Mi pavor, infantil.
La exhibición pública
de la angustia
hace daño a las gentes,
interfiere con el comercio,
amedrenta a los niños.
Mañana iré al mercado.
Lo recetó el psiquiatra.
Podré ofrecerle
diez centavos a un mendigo
y sentir compasión.

Mis adioses

El jet de la tarde me arranca de Ezeiza.
Me lanza contra la pared
de la cordillera
impregnada de sombras.
Me arranca de los adioses,
de la última vez
entre rostros rioplatenses,
de la noche en el acuario verdeazul
con humo flotando como plankton
y monstruos marinos
se deslizan por la luz
al compás de un tango.
Desde mi ventana,
la mancha morada de las pampas.
Repito a solas mis adioses,
los prenso
entre las hojas de un libro
que no leo.
El horizonte se encoge
y nos asalta.
Nos pasa el Aconcagua
con su joroba rosa.

Santiago deslumbra en el crepúsculo.
Casi sin verlo
recorro el aeropuerto,
casi sin recordar las otras veces,
los otros adioses
que he dicho aquí,
esquivando esta despedida
solitaria,
definitiva.
Lejos de mi ventana
una luna nueva
se hunde en el Pacífico.
Pienso en los años,
los amigos,
la geografía.
América es grande,
me digo.
Un bloque de piedra
torturado.
Su yerba,
sus árboles,
sus voces crecen,
trepan,
entierran nichos de piedra estéril.
América es una viva piedra verde.
Es difícil América,
es oscura,
es verde,
es difícil.
La estrangula la selva.
El sol
le siembra desiertos.
Sus hombres se pierden
entre arrugas
y ríos.
Escazú,
Mombo,
Momotombo,

Chingo,
Izalco:
su pregunta brumosa
me persigue.
Santa Ana.
Mi gente una vez más.
El patio con verdes
y con sombras,
la ceremonia del refresco,
el chaparrón,
la interminable fila de visitas,
los lentos murmullos
de la tarde,
el monólogo de la tía Virginia,
de su amor perdido
y de sus gatos.
Cementerio de razas
es mi valle:
cementerio de nombres —
Sihuatehuacán,
valle de las mujeres hermosas —
de tribus anónimas,
lampiñas,
de conquistadores con barba
y caballo,
de doncellas inmoladas
ante la mirada jade
del jaguar.
Mi América es sangre derramada:
una puesta en escena de Caín y Abel,
una lucha sin tregua
con el hambre,
la rabia,
la impotencia.
Me arranco,
me voy.
Apenas me importa un sollozo.

Como un bocadillo
me trago a Guatemala,
sin saborearla,
sin la grave presencia
del Agua
y del Fuego
desde Antigua,
sin la mancha morada
de Atitlán,
sin oler el copal
quemándose en las gradas
de Chichicastenango
aquel domingo de colores,
tejidos,
rostros herméticos
y polvo
y tropezones.
Se desliza el taxi
en el asfalto
Me conduce con ritmo
de cornetas,
mariachis,
cantinfladas,
costras de revolución.
Recorro los barrios de adobe,
el neón de Reforma
y de Madero.

Los cambios me confunden.
De la larga jornada
me quedan los adioses:
adiós a Maitencillo,
a la playa de noche;
a las calles de Mérida,
fosforescentes;
a Tito castigándose las cejas;
a la nieve arenosa en Farellones —
los cóndores,
Manuel —,

a las fatigosas discusiones con María Elena;
a Miquel
y su oscura resignación;
al jardín botánico en otoño;
a los tangos de Idea
y su conjunto inexistente;
a las velas titilando
en Botafogo;
al cursi carnaval
en 18 de julio
con Luz
y Mario
y confetti.
«Me he puesto a teclearte estas líneas
mientras pasan los tanques rumbo a Buenos Aires»,
me escribe Roa.
«No veo pasar a los mastodontes de hierro,
pero los oigo avanzar, rechinando.
¿Te acuerdas de lo que hablábamos con Bud, contigo,
oyéndonos los pensamientos, queriendo para nuestra América
así en singular, un destino que no nos hiciera avergonzar?»
Adiós Roa
y Zoraida
y Sebastián
y Manolo
y Lucho
y Pueyrredón.

PAGARE A COBRAR

(1970-1973)

Florecen los almendros

Florecen los almendros
en Mallorca
y no estás para verlos.
De mi balcón anoche
los vi fosforecer.
Te llamé por tu nombre,
conjuré tu fantasma,
te perfilé de pétalos caídos
y una ráfaga de aire
te rasgó.

Dans le metro

Luces indescifrables
y yo las dejo atrás.
Te vi bajar.
Me buscaste un instante
con ojos extraviados.
«¿Y tu encargo,
qué hacer?»
Se vuelven todos a mirarme,
a dejarme aplastada en el asiento.
Nada que ver de mi ventana.
Cabos de cigarrillo por el suelo,
zapatos despuntados,

la vache qui rit.
Olores a vino
y a cebolla,
a vida a fuego lento;
el moroso hervor de los recuerdos,
los deseos que arañan.
En aquella estación de muros blancos,
de muros antisépticos
y blancos.
Por la ventana inútil
un reflejo me acecha.
Ya es más real que tu memoria
y tan inútil.
Me dijiste qué hacer,
me lo explicaste:
tu mirada de aceptar mis caracoles,
mi multitud de asombros,
mis preguntas.
Conversaciones sueltas
me distraen,
frases ajenas,
rostros con ojos como dientes
defendiendo su espacio.
Por tu ventana abierta
chillaban pájaros negros.
La lluvia,
pájaros negros,
desechos de voces roncas.
«Despejen», gritaste,
«despejen»,
buscándome con ojos extraviados.
Comprendí.
Creí que comprendía.
Por una reja de aire
te escapaste.

Comunicación a larga distancia

A Patricia

No.
No insistas que vaya.
¿Qué puedo hacer
por los amigos moribundos,
por la tía Graciela
con la peste bubónica,
por Antonio
a quien van a ejecutar
de todos modos?
¿Quiénes reclaman mi presencia?
Claro que hay cosas lindas en Santa Ana.
Por supuesto.
Y no te olvides del maquilishuat,
del San Andrés florecido
del viejo tronco de la ceiba,
de los veintisiete tonos de verde
en la mañana.
La baba de la bestia
no perdona.
¿Qué pueden hacer con procesiones
y bendiciones arzobispales
y papales?
Del centro del volcán
de ahí salió.
La recuerdo chorreándole los flancos
y los niños lloraban
y se extinguían los arroyos;
los árboles caían
y se ajaban los verdes.
Hoy pasaré por la farmacia.
Enviaré ácido bórico
en el primer avión.
No me exijas que vaya.

79

Tengo una niña enferma.
Excusas, claro, excusas.
No me debí marchar.
Tuve miedo.
Todos quedaron mudos
y sólo se oían los sanates
y las motocicletas militares.
¿Para qué los espejos?
¿Conferencia de paz
en el mesón Versalles?
Siento nostalgia, sí:
la banda del parque central,
el «vaya con Dios» de la gente
a toda hora,
las nubes gordas
a mediodía.
Pero ruge el volcán
y mi ciudad se enluta
con cenizas
y piojos
y calor
y zancudos
y bombardeos
y maremotos.
Por ahora han cesado.
Ya volverán cargados de napalm
o de megatones nucleares.
No soporto el relincho
de los heraldos electrónicos
ni el tatuaje de fuego
ni el bálsamo que alivia.
Ernesto me decía en una carta
que ha caído la ceiba protectora
(y no cumplí mi cita)
que por la plaza corren
negros exasperados
guerrilleros descalzos
estudiantes en huelga

que la calle de las palmeras
ya no tiene palmeras
y los niños de Biafra
invadieron los atrios
de todas las iglesias
y no entienden su jerga
y medusas gigantes en el mar
impiden que les lleguen alimentos
y otra vez esa mano
dibujando más seises en el cielo.

Yo sin ti

Yo sin ti
pero contigo
llevando a cuestas
tu muerte.
Mi soledad y la tuya
que ya han cerrado
su escape.

Ausencia

Hola
dije mirando tu retrato
y se pasmó el saludo
entre mis labios.
Otra vez la punzada,
el saber que es inútil;
el calcinado clima
de tu ausencia.

Marino mundo

A Luz y Mario

A veces se me ocurre
que vivo sumergida
en un mundo marino:
Todo es verde en Deyá
y hay lianas
y musgos
y rocas verticales
y se oye al agua
respirar,
se la oye cantar
y correr
y fatigarse
y hay que esforzarse mucho
para escuchar los ecos
que nos llegan de afuera.
¿A quién le importa
en Deyá
que el dictador
o que Angela Davis
o que en Chile?
Es tan fuerte la voz
de los torrentes
que hay que gritar
a veces
para que alguien nos abra una rendija
y podamos hablar
de esas cosas que suceden en el mundo.
Pero el aire de afuera
está viciado
y a la leve presión
de una sospecha
vuelve a cerrarse la rendija
y nos quedamos solos,

con el carcoma adentro
y el murmullo del agua
entre las piedras.

The American way of death

A Erik

Si arañas día y noche la montaña
y acechas detrás de los arbustos
(la mochila-fracaso va creciendo,
abre grietas la sed en la garganta
y la fiebre del cambio
te devora)
si eliges la guerrilla,
ten cuidado,
te matan.

Si combates tu caos
con la paz,
la no violencia,
el amor fraternal,
las largas marchas sin fusiles
con mujeres y niños
recibiendo escupidos en la cara,
ten cuidado,
te matan.

Si tu piel es morena
y vas descalzo
y te roen por dentro las lombrices,
el hambre,
la malaria:
lentamente te matan.

Si eres negro de Harlem
y te ofrecen canchas de fútbol
con el suelo de asfalto,
un televisor en la cocina
y hojas de marihuana:
poco a poco te matan.

Si padeces de asma,
si te exaspera un sueño
—ya sea en Buenos Aires
o en Atlanta—
que te impulsa de Montgomery
hasta Memphis
o a cruzar a pie la cordillera,
ten cuidado:
te volverás obseso
y sonámbulo
y poeta.

Si naces en el ghetto
o la favela
y tu escuela es la cloaca
o es la esquina,
hay que comer primero,
luego pagar la renta
y con el tiempo que te sobra
sentarte en el andén
y ver pasar los coches.

Pero un día te llega la noticia,
corre la voz,
te la da tu vecino
porque tú no sabes leer
o no tienes un cinco
para comprar el diario
o el televisor se te ha jodido.
De cualquier modo
te llega la noticia:

84

lo han matado,
sí,
te lo han matado.

Los torrentes

A Karen

Los torrentes están llenos
en Santana
y transparente el aire
y el cielo y el mar
azul morado
y los muros de piedra
verdecidos.
Nada habla de muerte
en este día,
sin embargo allí está.
Se instaló de sorpresa
en la casa de al lado
y el abuelo gime
envuelto en una manta
y ladra el perro
en el traspatio.
«Es Francisca», señora,
me cuenta la María.
«Se la llevaron ayer al hospital.
Todos pensábamos
que era el nudo de venas
que tenía en el pecho
pero dice el doctor
que fue la rabia.
La llevaba en la sangre»
nos explica
mientras su hija escucha,

la escucha y aprende.
Hay que saber como portarse
ante el amor
y el escándalo
y la muerte.
«Era como un gusano
que llevaba en la sangre.
Empezó a verse mal
ayer de noche
y la llevaron a la clínica
y la han traído muerta.»
El perrito no cesa de ladrar.
Entran y salen
las hijas de Francisca
y no saben qué hacer
y están pálidas
y la ropa que ayer ella tendió
sigue colgada
allí en el lazo
y nadie la viene a descolgar.
El cuerpo de Francisca
ya está azul
y pasan tres mujeres
con un traje de novia
y el doctor ha dicho
que no la manipulen
y pasan dos muchachos
con los baldes de cal
y el marido me cuenta:
«el dolor
y la asfixia,
no podía tragar».
Y mientras tanto el perro
sigue ladrando
en el traspatio
y la ropa en el lazo
hace gestos inútiles
y Francisca tendida

allí en su cama
y las viejas la visten
con su traje de novia
y entra la esposa del amante.
Era hermosa Francisca
y tenía un amante.
Entra la esposa
con labios finos
y con gafas
y lleva entre las manos
la guirnalda
que llevó el día de su boda
y mientras las viejas
se apartan respetuosas
ella la coloca
sobre la frente de la muerta,
la frente azul y helada
de Francisca.
Ronda el amante,
ronda,
no se atreve a entrar,
no se atreve a aullar
sobre las piernas duras
de la muerta.
En Santana
no puede uno abandonarse.
Es el cartero
y todos lo conocen.
Si es preciso hacer eso diariamente,
volver de noche a casa,
enfrentarse con esos labios finos
con el duro reflejo de esas gafas,
con el vacío de la guirnalda,
más vale abandonar la moto
en una esquina
y merodear
desafiando las miradas
de los vecinos
que entran a dar el pésame

a la casa prohibida
donde Francisca
congelada
y rígida
y con la frente azul
y la guirnalda
reposa sobre su cama matrimonial.
«Francisca»
dice el marido
frente al cadáver
rodeado de vecinos.
«Me dejaste solo, Francisca,
diste mucho que hablar
pero eras buena».
Sobre los vidrios de la puerta,
imitando cortinas,
cuelgan trapos
las viejas.
«Te quería, Francisca»,
sigue recitando
en voz monótona
mientras todos lo miran
con respeto
y el amante ronda
y llora el abuelo frente al brasero
y María baja la cabeza
y las hijas miran a los rostros
buscando una respuesta
y el perrito
que ladraba en el traspatio
aúlla ahora
y la ropa que ayer
ella tendió
sigue colgada
allí en el lazo
y nadie la viene a descolgar.

Juego de luces

La bocina de un auto
encandece tu imagen
—se ilumina,
se apaga en un instante—
y me lanza febril
a tus vestigios:
borrosa la escritura
de tus cartas;
ultratumba tu voz
desde la cinta;
mariposa clavada
tras los vidrios
tu sonrisa de dientes incorruptos.

Mi paraíso de Mallorca

Todas las noches
en mi paraíso de Mallorca
surgen nuevos fantasmas:
oscuras quejas enredadas
al canto de los ruiseñores,
llantos de niño,
miradas de veinte años
ya marchitas
que me opacan el cielo.
Es verano
y el mar está tibio
y huele a algas
y hay deseo en las cuencas
de tus ojos
y otro oleaje verde
de otro mar
de mi infancia
me golpea en el pecho

un veintidós de febrero por la tarde,
al otro día de morir Sandino
y yo no sabía
quién era Sandino
hasta que mi padre
me explicó
mientras saltábamos sobre las olas
y yo nacía.
Fue entonces que nací.
Como Venus,
vi por primera vez la luz
entre la espuma.
Antes era una hierba,
una espiga alocada
que flotaba en el viento,
un par de ojos incontaminados
y vacíos.
Salí del mar
—mi mano entre la mano de mi padre—
odiando al ministro yanqui
y a Somoza
y esa misma noche
hice un pacto solemne
con Sandino
que no he cumplido aún
y por eso me acosa
su fantasma
y llega hasta mí el hedor
a represión
y no sólo es Sandino,
hice también un pacto
con los niños pobres de mi tierra
que tampoco he cumplido.
Cada cinco minutos
muere de hambre
un niño
y hay crímenes
y ghettos

y más crímenes
que a título del orden
se cometen,
de la ley y del orden
y aunque el mar esté tibio
y yo te ame
mi paraíso de Mallorca
es un cuarto cerrado
y todas las noches se puebla de fantasmas.

Qué lástima

Qué lástima que duermas
y se interrumpa el diálogo
y no sientas mi beso
en tus ojos cerrados.

Qué lástima tu infancia
así truncada,
ese tiempo sin tiempo
a medio abrir
por el que ya empezaba
a vislumbrarte.

Mañana todo habrá cambiado:
otra vez hablándonos
de lejos
desde nuestras esquivas
soledades.

Qué lástima
los signos de mi amor,
mis apretados círculos
de miedo
que no sé si entendiste.

Elegía a Duncan

No sé, Duncan,
si sabes
que al día siguiente de tu muerte
empezó el éxodo en Deyá.
Primero una pareja
de jóvenes amantes,
después una muchacha
que corrió por las calles
arañándose el pecho
y luego aquel poeta
de mirada sonámbula
que recogió
tus últimas palabras.
Con cada uno de ellos
algo de ti se iba.
Nos iban despojando de tu voz,
de tu forma
y poco a poco
los que nos quedamos en Deyá
empezamos a no querer salir,
a evitar el café de la esquina
donde tú te sentabas a leer.
Era difícil
mirarse a los ojos
con tu muerte allí
rondando entre nosotros.
Sin ti,
sin tus más íntimos amigos,
sólo la incómoda
presencia de tu muerte
que nos nublaba las palabras
y nos hacía hablar en frases huecas.
Ahora todo está más claro.
Se ha alejado tu muerte
y has vuelto tú

a rescatar tu imagen
y me río contigo
cuando les hablo
a los becerros
como tú me enseñaste,
y ellos me responden
y otra vez
todos vamos al café
y los amigos empiezan a regresar
y nos miramos a los ojos
y allí escondida
está tu imagen
sin la incómoda presencia
de tu muerte.

Hoy el aire

Hoy el aire está inmóvil.
Un río de latas inservibles
y de papeles sucios
y de vidrios
me golpea los ojos
desde el lecho abrasado
del torrente.
Es verano en Deyá
y empiezan a llegar
los forasteros
y las ventanas se abren
y se escapan las voces
y andan sueltas
sobre piedras calentadas
por el sol,
sobre la reverberación de las piedras
donde los pies desnudos
de una muchacha
vestida de amarillo
van saltando hacia el agua

y la voz de la loca
(¿te acuerdas?, la del Puig
que obligaba a huir
a los vecinos)
cae incesante en mis oídos
y el verde de los árboles
se extiende
hasta juntarse casi
con el mar
que reverbera también
como las piedras
y te sigue cubriendo
aunque ya tu cuerpo
no esté allí
y otra vez mis ojos
te descubren
acercándote a saltos
hacia el mar
y la voz de la loca
me distrae
y cae en mis oídos
hecha trizas
y te vuelvo a perder.
En Santa Ana
el verano es perpetuo
y están siempre abiertas
las ventanas
y a nadie le asombra
el aullido de la loca Pastora
y los niños le salen al encuentro
y la cubren con una lluvia de risas
y burlas
y miradas
y ella los insulta
y les tira una piedra
y también anda suelto
Carmen Bomba
y se asoma a las casas

y deja colgado un refrán
en cada puerta
y sube en la marea
de su alcohol
y así va muriendo
poco a poco
y la muchacha vestida de amarillo
se hunde ya en el agua
y te he perdido
y sus gritos que saltan
sobre el mar,
sobre la reverberación
de las piedras
y del mar
y de la voz húmeda
de la loca,
giran,
se alejan,
vienen,
se los traga el torrente.

De sandías y puentes

Ya me cansa tu muerte.
Quiero olvidarla ahora
y recordar lo otro.
Lo importante es tu tránsito,
el proceso,
los anillos que enlazan
la cadena,
ese arco ya tenso,
consumado,
que yo recorro a veces,
cuando me punza el miedo
de falsearte el rostro.
Tu vida quiero ahora.
Tu muerte fue el asombro,

el desgarrón,
el adiós prematuro.
Tu vida
y no tu muerte:
el puente que tendiste
hora tras hora
(¿recuerdas aquel día de calor
cuando los dos como ladrones
compartimos la única sandía?)
con pequeños tablones que te ayudé a clavar
y grandes intersticios
que no sé.
Es un fierro la muerte,
un filo ensangrentado
segando a la redonda,
un pajarraco absurdo
que me ensucia el recuerdo.
Tu vida y no tu muerte:
tu rostro aquella tarde
cuando llegaste humeando de alegría
y alzándola en vilo
le anunciaste a mi madre
que ahora sí,
que ya es seguro,
que le salvé la pierna
a José Eduardo.
Te revivo en tu ayer
en nuestro ayer
y el tiempo no existe
y tú me estás velando
y son míos tus pasos:
los que anduvimos juntos
y los otros,
los que al final,
mientras rodeábamos tu lecho
ibas marcando solo,
cada pisada tuya retumbaba,
nos hacía temblar.

Y al llegar al límite,
porque tú sabías que era el límite,
volviste hacia nosotros
tu mirada
y desapareciste en la neblina.

Santa Ana a oscuras

A Maya

Hágase la oscuridad
decretó don Raimundo
y la luz se apagó
y quedó a oscuras Santa Ana.
Nunca fue muy brillante mi ciudad,
apenas bombillas de cuarenta vatios
aleteando contra algún interior,
iluminando un zurcido,
un planchado,
algún deber escolar.
Desde hace cien años
se apagaron las luces en Santa Ana.
Las mujeres ahora
ocupan velas para sus remiendos
(en el día no hay tiempo)
y amanecen con ojos enrojecidos.
Los hombres se olvidaron de leer
y por las noches beben aguardiente
y salen a la calle
a disputar.
Sólo para los niños
es motivo de fiesta.
Nadie les exige que estudien sus lecciones.
Son tan pequeñas las letras
en los abecedarios
que es casi imposible discernirlas
y no aprenden su historia

de cuarenta vatios.
Todos los días
cuando se oculta el sol,
Mamá Clara, sentada en el andén
declama versículos de la Biblia.
Los vecinos le piden
que les recite el génesis
y se maravillan
del poder de don Raimundo
que tuvo la osadía de apagar la luz.
Don Raimundo
tiene la costumbre de mandar.
Con un chasquear de dedos
pone
y dispone
y ejecuta
los problemas más espesos
del país.
El año pasado por ejemplo,
contaba el caporal,
le dije que faltaban más camiones
y en menos de una hora
había cinco
y hubo que llenarlos en seguida.
Por eso yo digo
que don Raimundo es listo
y Dios premia a los listos
y castiga a los que andamos tropezando.
La oscuridad se hizo
cuando murió mi padre.
Era el médico del pueblo
y trajo su linterna de Estelí.
El abuelo la trajo de París.
Nadie en Santa Ana
es capaz de producir su propia luz.
Cada vez que se apaga
una linterna
se opacan más las cosas

y se mira sin ver
y se dice que sí con la cabeza
y no se entiende nada.
Ricardo encendía fósforos
para que nos viéramos las caras,
pero un día le cerraron el colegio.
José Angel
tenía una linterna.
Se le había caído a alguien
y él la recogió.
Quería ser como mi padre
y llevar luz a casa de los otros,
pero murió de tétano.
Se derrumba nuestra casa
en Santa Ana
me escribió mi hermano
hace unos días.
Poco a poco
la fuimos abandonando
y lo dejamos solo.
El jardín que antes se llenaba de pájaros
está vacío ahora.
El D.D.T. acabó con todos los pájaros
en Santa Ana
y las flores
no crecen como antes
en el jardín de mi casa.
Mi madre cuidaba los clavelones
y regaba el pasto
y le ayudaba al jazmín
a que subiera.
Ahora no está ella
y todo ha muerto
y los muertos se comen
a sus muertos
y se pudren las maderas
y se acabaron también
los zopilotes

y toda la podredumbre
se acumula.
Los rostros que en este álbum
me sonríen
oliendo a alcanfor
se han derrumbado ya:
Celia,
Isabel,
Margot.
Siguen engalanándose los domingos
para misa mayor
en Catedral.

Desde hace cuarenta años
es la misma rutina.
Se encuentran en el atrio
a la salida
y van al bar
(el que está frente al parque)
a tomar sorbetes de vainilla
y a transmitirse las noticias
y bendicen a Dios
porque son vírgenes
(todos los hombres son iguales
repiten siempre a coro)
y a las doce en punto
cada una camina hacia su casa
y se queda enterrada
entre flores de papel
y crucifijos.
A veces en mis sueños
tropiezo con los ojos de don Santiago,
siempre los mismos ojos
que me esquivan,
el sombrero de paja
protegiendo del sol
su cabeza pelada,
el mismo monótono saludo,

los pies que diariamente
lo arrastran hacia el kiosco
y del kiosco a su casa
con un periódico en la mano.
Antes era brillante
don Santiago,
todo el pueblo lo afirma.
Tenía una farmacia
bien surtida
y vendía al crédito
y barato.
Pero un día se alzaron los campesinos
y él se declaró
contra la guardia nacional
y mandó don Raimundo
que le cerraran la farmacia
y murió su mujer
de paludismo
y sus hijos
huyeron
y no habla con nadie
desde entonces
y cada vez que en sueños
tropiezo con él
pienso que estoy
en el páramo de la muerte
y despierto temblando.
No importaba en la infancia.
Todo era verde entonces.
Crecíamos sin saber
que había luz en otras partes
y nos maravillábamos
cuando alguien
llevaba una linterna.
El sol
y la luna
nos bastaban;

el telón de luciérnagas
abriéndose y cerrándose
en la noche,
las nubes gordas
con bordes de plata,
el resplandor de Izalco,
los cocuyos,
las tormentas con truenos
y relámpagos
y Sirio
y Venus
y las siete cabritas
que brillan más
en el cielo de Santa Ana
y todo esto
es una manera de decir
que me asaltan a veces
unas ganas violentas
de volver.

Canción de cuna
para Duncan James

Hoy es día de sol
de milagro obstinado
de arco iris.
Has abierto una puerta
y te estamos rodeando
y nos sentimos prójimos
y el sol es brillante
y te hiere los ojos
y los cierras.
Has venido al planeta
y lo debes saber:
hay también días de lluvia,
de temporales largos
que oscurecen el sol
días de viento frío
en que abrirás los ojos
y verás nubes grises,
un cielo ensombrecido
de presagios,
basura acumulada
dentro de bolsas plásticas,
aire hediondo
y poluto
y se mueren los peces
y arrojan napalm de los aviones
y se mueren las plantas,
los arbustos,
la yerba
y donde hubo praderas
con árboles
y flores
hay ahora una lepra
que se extiende.
Te oí miré llegar
y es preciso que sepas:

no es el mejor momento
de venir al planeta.
Es ingrata la lluvia
pero el sol, pero el sol.
No comprendes aún:
hace un cuarto de siglo
le robamos dos partículas
al sol,
las arrojamos
en Hiroshima
y Nagasaki
y los ojos se les volvieron
enormes huecos negros
y desaparecieron
en puñados de humo
y algunos sobrevivieron
con cáncer
piel
y huesos
y nacían niños sin manos
y sin piernas
y dementes
y ciegos
y sin rostro.
Hemos progresado
desde entonces:
mandamos astronautas
a la luna
y en la tierra
hacemos cuevas,
embotellamos partículas
de sol
y cuidadosamente las cultivamos
y mientras regresan
los astronautas
con mapas de la luna
y las galaxias
nuestros pequeños soles
en botellas

104

esperan su turno
agazapados:
(veinte,
treinta,
quizá cien años),
esperan el día
en el que va a brotar
una explosión de hongos
que disuelva la tierra.
No es el mejor momento
de venir:
Es triste desearte
sólo días de lluvia
y de presagios,
pero el sol es centella
y te fulmina.
Lo celebramos cuando brilla.
Salimos a la calle
a celebrarlo.
Nos calienta los huesos
su calor,
nos llega a través
del humo denso
y reverdece el mundo
y nosotros también
reverdecemos
y nos sentimos prójimos
y buscamos otros ojos
otras manos
y nos decimos
uno al otro
que todo saldrá bien.
Más vale no dejarse engañar.
Aprieta bien los párpados
y escucha como llueve
en otras partes:
Ahora mismo
mientras te hablo

un lodo viscoso
y mal oliente
apaga en la selva los ojos
de algún joven,
nace a la muerte una niña
envuelta en llamas
de napalm,
una madre descalza
y desnutrida
camina
con el cadáver de su hija
entre los brazos.
Más vale no dejarse engañar.
Aprieta bien los ojos
contra el sol.
En los días de lluvia
se abrirán
y verás nubes grises
y un cielo ensombrecido
de presagios.

RAICES
(1973-1975)

Es cerrar esta puerta lo que temo

Aquí estoy
definitivamente instalada
en mi presente
con los gladiolos rojos
y la jarra de vino
y el recuerdo fresco
de tus labios
no es el miedo a la muerte
como insistes
está lejos mi muerte
no vislumbro su rostro
ni me importa
si me reduce a polvo
quizá sería lo mejor
un sueño largo
largo
en el que vas desintegrándote
es cerrar esta puerta
lo que temo
cerrar esta puerta
para siempre
perforar este muro
y encontrarme de pronto
al otro lado
sin la jarra de vino
sin tus labios
sin los gladiolos rojos.

Otoño

Has entrado al otoño
me dijiste
y me sentí temblar
hoja encendida
que se aferra a su tallo
que se obstina
que es párpado amarillo
y luz de vela
danza de vida
y muerte
claridad suspendida
en el eterno instante
del presente.

Soy raíz

«Oh vida por vivir y ya vivida,
tiempo que vuelve en una marejada
y se retira sin volver el rostro.»

O. Paz (Piedra de Sol)

Más que piedra pulida
más que mañana ocaso
más que sueño de árbol
y de flor y de fruto
soy raíz
un avanzar reptado
de raíz
sin fulgor
sin futuro
ciego de profecías
endureciendo el suelo

en el que ondeo
saboreando el maná
de la desdicha
de la opacidad
del pájaro sin alas
del alba sin centella
de la nube sin brillo
de las horas que pasan
sin presagios
ondeando
serpeando
la raíz
quizá desenterrando
el relámpago aquel
la piedra aquella
que una vez en la playa
reptando entre malezas
a solas
sobre escombros
avanzando
buscando
dividiéndose
en vértigos-segmentos
cenicienta raíz
mortal raíz
buceadora en mi zona de tinieblas
caligrafía oscura
heredad de patíbulo
y de cábala
venenosa raíz
envuelta por el tiempo
de un espacio
espejo de mí misma
sin humedad
sin agua
tu cuerpo sabe a tierra
tu corteza a verano
encarcelado
y no buscas resquicio

buscas muerte
una muerte tranquila
enmascarada
de días sin presagios
y de tiempo
sin fechas
de rostros que son grises
y apacibles
y de horas
sin pájaros
en que simplemente
se deshace el instante.
Mi vida por vivir
no me consume
en mis labios
hay grietas
y mi rostro es de piedra
y le cierro el paso
a la tormenta
y sigilosamente me sumerjo
en el eterno mar
que ya no avanza
y se acaba el rumor
y el torbellino
y las apariciones
y desapariciones
y todos los sueños
en que simplemente
nos soñamos
y los residuos
de un amor espada
y de aquel otro amor
a escondidas
y los nombres de Eros
y de Tánatos
todo se desvanece
tu canto de cristal
no llega nunca

ni tu caricia de agua
ni tus labios
ni los dientes filosos
de tu amor
recojo mis fragmentos
y voy reptando
a ciegas
voy olfateando el mar
en el que un día
el olvido me cubra
la memoria
y no sienta punzadas
ni reclamos
ni miedo
y sólo sea un giro
un remolino
en la tumba de agua
que me cubra.

Hoy nací con el día

Hoy nací con el día
entró la luz
bailando
hasta mi cuarto
y me sentí feliz
como en la infancia
y bailé con la luz
y oí la voz de la hiedra
y del geranio
y salí bailando hasta la calle
y seguí cuesta arriba
con la luz
y me senté a verla brillar
sobre la grama
y bajé junto a ella
hasta el borde del mar

y la vi brillar
sobre las olas
y de pronto fue el mar
el murmullo del mar
en mis oídos
el olor a alga podrida
a madera podrida
a red de pescadores
y cerré los ojos
y entraron galopando
los recuerdos
y me tendí sobre una roca
con los ojos cerrados
y no pude aguantar:
mi vida de repente
desfilando
se mezclaban
viraban
se abrían mis recuerdos
nadie puede aguantar
toda esa vida
y levanté los párpados
y había luz en el mar
y había sombra
islas de luz
y sombra
sobre el cielo
y comencé a subir
y había luz
y sombra
en los colores
signos entretejidos
sobre el suelo
y me detuve un rato
a descifrarlos
a dibujar más signos
a borrarlos
y el tropel de recuerdos

disminuía
hoja a hoja
caían los recuerdos
y seguí mi ascensión
ya más ligera
con la luz
y la sombra
fluyendo entre mis pasos.

Soy una piel cualquiera

Soy una piel cualquiera
una piel extendida
sobre el vértigo borde
de un abismo
caminada
tatuada
por recuerdos
alfileres-recuerdo
que me clavan
que me mantienen fija
son reales
los palpo
podría si quisiera
desclavarlos
empezar por el centro
el del ombligo
liberar al dibujo
de sus garfios
comprobar cicatrices
arder con las heridas
descubrir cuando vuelen
si caeré arrugada
como un crespón marchito
o si puedo yo sola
flotar sobre el vacío.

Y soñé que era un árbol

A Carole

Y soñé que era un árbol
y que todas mis ramas
se cubrían de hojas
y me amaban los pájaros
y me amaban también
los forasteros
que buscaban mi sombra
y yo también amaba
mi follaje
y el viento me amaba
y los milanos
pero un día
empezaron las hojas
a pesarme
a cubrirme las tardes
a opacarme la luz
de las estrellas.
Toda mi savia
se diluía
en el bello ropaje
verdinegro
y oía quejarse a mi raíz
y padecía el tronco
y empecé a despojarme
a sacudirme
era preciso despojarse
de todo ese derroche
de hojas verdes.
Empecé a sacudirme
y las hojas caían.
Otra vez con más fuerza
y junto con las hojas que importaban apenas
caía una que yo amaba:
un hermano

un amigo
y cayeron también
sobre la tierra
todas mis ilusiones
más queridas
y cayeron mis dioses
y cayeron mis duendes
se iban encogiendo
se arrugaban
se volvían de pronto
amarillentos.
Apenas unas hojas
me quedaron:
cuatro o cinco
a lo sumo
quizá menos
y volví a sacudirme
con más saña
y esas no cayeron:
como hélices de acero
resistían.

Bajo la fría piel de la ballena

A Jean Marc

Bajo la fría piel
de la ballena
late mi pulso
y mis oídos se abren
¿voy subiendo,
bajando?
llevo abiertos los ojos y no veo
adivino mi forma
por el tacto
busco a tientas
un hueco

una salida
un manojo de luz
que me señale.
Olfateo la brisa
¿habrá sol en el agua
o habrá luna?
está jadeando el mar
y yo desciendo
corro en círculos
torpes
golpeo el aire
con mis puños
llamo a voces
no quiero
me reconcilio al fin
oigo llover afuera
oigo el chillido cruel
de la gaviota
oigo el azul
y el verde
y el morado
los afilados ritos submarinos
de los peces
que avanzan en manadas
de los pulpos
que vuelan.
La ballena me arrastra
en su casa
de sombra
¿estoy viva?
¿habré muerto y no sé?
Saco la lengua
y río
con mi lengua flagelo
humedezco mis labios
saben a hiel mis labios
desde una infancia
insomne

mis fantasmas
me miran
voy flotando en lo oscuro
¿qué seré cuando salga?
juego ajedrez conmigo
¿cómo será la playa?
bailaré por los techos
de las casas
me internaré en los bosques
plantaré signos
en el viento
o acaso me vuelva
caracol
y me recoja un niño
para escuchar el mar
desde su cuarto.
El movimiento es simple
un salto
un solo salto
la puerta se abrirá
estoy de tránsito
me presiento en el polvo
y en el salto
en el vértigo inmóvil
me presiento.

Raíz-madre

Fue el silbido insistente
quizá el escalofrío
el olor a jazmín en la terraza
que se volvió sulfuro
en mis pulmones
y me hizo resbalar
hacia el pasado.
Me condujiste al patio
volví a ver como entonces

a las siete cabritas:
más brillantes
más altas
más profundas.
Había luna nueva
y tú la señalaste
«la barquita de plata»
que me fue insoportable
cuando años más tarde
sólo pude mirarla
como a una cursi barquita de plata.
Me abriste las vidrieras
me revelaste a Humboldt
a Gustavo Doré
y no recuerdo bien
si lo dijiste
en todo caso lo pensaste
(gozas de la sabiduría
de la serpiente)
hay otro mundo
más allá de Santa Ana
y descubrí ese mundo.
Me mostraste París
en tarjetas postales
y supe que había que vivirlo
me habías condenado
a vivir París.
Mientras gozaba un sorbete
en La Florida
me hablaste
de tus tres divinos poetas
desde entonces
no puedo descansar
he pasado mis años
abriendo túneles
ensuciándome el rostro
masticando escupiendo
el duro carbón de la poesía.

A veces levanto la mirada
y brillan tus escamas
a la luz de la luna
cegándome los ojos
el reflejo esmeralda
de la luna
en tus ojos de opio.
Eres la anaconda
que me va a tragar
la anaconda que ondea
sus escamas jaspeadas
con la mirada fija
sobre mí
la luna vieja
en cuyos carbones
empiezo a consumirme.
Debo comprenderte,
asimilarte,
convertirte en anélido,
separar uno a uno
tus anillos
cortarte en trozos, madre,
y abrir en cada trozo
secciones verticales.

Primer anillo

Tenías doce años
y fuiste campeona de patines.
Nunca lo pude hacer
intenté varias veces
y acabé con las rodillas
destrozadas.
Admiré a Sonja Heine
en la pantalla
flotaba sobre el hielo
de Rockefeller Center

y tenía tu rostro
tu mismo porte altivo
tu sonrisa.
Te vi saltar
ahuecarte en los brazos
de tu alada pareja
pero no había hielo
en Santa Ana
eran de ruedas tus patines
y chillaban
sobre las baldosas duras
del parque central.
Quizá no volaste
como yo recuerdo
pero nada importa
tenías el rostro encendido
tus trenzas negras
flotaban en el aire
hacías piruetas peligrosas
te acurrucabas
abrazándote las rodillas
y seguías rodando
y era casi un vuelo.
¿Cuándo perdiste
esa alegría?
¿Cuándo te convertiste
en la muchacha cautelosa
que colgó sus patines?

Segundo anillo

Tenías diecinueve
y hablabas francés
y tocabas valses de Chopin.
Por las tardes
sentada sobre el poyo

de tu ventana
leías a Sor Juana
a Victor Hugo
y para que nadie fuera a molestarte
se acercaba el abuelo
de puntillas
a cerrarte la puerta.
A veces te quedabas sin leer
con la mirada fija
queriendo adivinar
al caballero andante
de tus sueños.
De súbito el abuelo
perdió todo
y hubo que renunciar
a ese viaje a París.
Después te enamoraste
y falleció tu madre
y te dijo la suerte
una gitana
que te vio circundada
por un velo de lágrimas.

Tercer anillo

Tenías treinta y seis
y un piano de cola
que casi no tocabas.
Frecuentaban la casa
poetas y pintores
y tú los atraías—
mariposa lunar—
perfumabas la sala
con tu furor despótico
y ellos se enamoraban
en silencio.
Pero un día de abril

murió tu hijo
y dejó de interesarte
tu salón
te encerraste en ti misma
leías a los teósofos
y fue entonces,
lo veo claro ahora,
que renunciaste a ti,
que te alejaste.

Cuarto anillo

Me irritaban tus celos
tus rencores
persiguiendo a mi padre
más allá de su muerte.
Te volviste obsesiva
(apenas te alimentas
con mermelada y pan)
renunciaste a tus libros
tus amigas
no puedes salir sola
(se te olvidan las calles)
ni destapar un frasco
ni encender el gas en la cocina.
Has adquirido el don
de volverte invisible
estás ahí
sentada entre nosotros
sin que nadie te vea
apenas un silbido
de repente
un silbido
eso es todo
y sé que estás ahí
que otra vez levantas

la cabeza
con la mirada fija
sobre mí.

Quinto anillo

Ahora tu foto
en mi escritorio
la última
la que tomó mi hermano.
Sentada de perfil
en la terraza
con la mirada fija
resignada.
Me empeño en alcanzarte
y no puedo siquiera
adivinar.
Sentada allí
en tu silla:
transparente
lejana
poderosa.
No piensas en tus hijos
ni en tu vida de ahora.
Dime hacia dónde miras
has aprendido algo
que no sé descifrar
antes te aceptaba
como madre
y me bastaba
como madre anaconda
de la que tuve un día
que apartarme.
Dime hacia dónde miras.
Has cambiado de piel
y no puedo ahora comprenderte.

Dime hacia dónde, madre.
Ahora que está sola
que eres la luna vieja
la luna oscura
negra
flotando en el espacio
no me puedo acercar.

Prefiero regresar a mis arañas

Te recuerdo en mis labios
en mi piel
en tus ojos abiertos
contra los míos llenos de agua turbia
donde luces y sombras
y fronteras
y árboles
y rostros
navegan confundidos.
¿Fue realidad
o sueño?
Más claros que mi rostro
son mis sueños
tus ojos son vacíos
cada vez más vacíos
mis ojos dos espejos
empañados
ojos de calavera
son los tuyos
por los que miro estrellas
y espacio vacío
en mis ojos hay islas
hay espectros
amores extraviados
y sonrisas
(busco la de mi infancia

126

y la he perdido)
y arañas que tejen
su obsesión
y ciudades con pájaros
y puentes.
Sólo espacio vacío
hay en los tuyos
prefiero regresar
a mis espectros
en tus ojos es negro
no hay estrellas
prefiero regresar a mis arañas
tus ojos son mi muerte
me ha mirado
no puedo regresar
a mi agua turbia.

Los sueños no saben dónde huir

Fosforece el abismo
me deslumbra
se aleja
es un cielo al inverso
una trampa
el infierno
un gran pozo de muros transparentes
donde el tiempo da vueltas
mordiéndose la cola
y los sueños no saben
donde huir
y hay ráfagas de humo
que desvelan
que cubren
y soles innombrables
y osarios
y abajo estás tú
con el secreto

te contemplo de arriba
agazapada
abres el puño
y vuelves a cerrarlo
y tu rostro es de burla
y es el mío.

SOBREVIVO
(1976-1977)

Creí pasar mi tiempo

Creí pasar mi tiempo
amando
y siendo amada
comienzo a darme cuenta
que lo pasé despedazando
mientras era a mi vez
des
    pe
      da
        za
          da.

Evolución

Mi tío abuelo
Descartes
dijo:
«cogito ergo sum».
Mi tío
cogitabundo Nobel
ingenió sus millones
don dinamita
y encogiéndose de hombros
ofreció el premio
de la paz.

Mi marido y mi hermano
se volaron los sesos
con entusiasmo
y nitroglicerina.
Yo voy cojeando por el tiempo
y me preocupa mi sobrino
despreocupado:
alegrovosamente
les arranca a las viejas
sus carteras
que cambia
por estupor
y lleva una camiseta
que proclama:
Deliro,
luego soy.

Fronteras

Fui la nube
y la lluvia
y el mar
y quiero ser la tarde
y la muralla
y tú.

Todo es normal en nuestro patio

A pesar de que el sol
que el aire
las palomas
sigue el inquisidor
cultivando sus rosas
quita malezas
pedruzcos

132

raíces arrugadas
le da vuelta a la tierra
mira
escarba
vuelve a mirar
no pisa
desde siempre hace ganchillo
la marquesa
cada vez que alguien pasa
se le caen los lentes
leves cambios de voz
para indicar el rango
el solitario baila
quiere romper su sombra
en mil pedazos
se va poniendo viejo
el crucificado
nadie escucha más
sus profecías
se le acerca el payaso
iconoclasta
y le mete en la boca
un cigarrillo
chupa maestro
chupa
pero el otro lo escupe
y de cuclillas lo recoge
el pordiosero
resplandecen las nubes
sube olor a jazmín
por las paredes
se pasea de blanco
el carcelero
busca a su amigo
el cura
ha llegado el verdugo
y es la hora
jaque

anuncia el general
brinca el otro
se aterra
interpone su alfil
mate
dispara el general
y cae de bruces
el fusilado
dejo al inquisidor
aplastando gusanos
todo es normal
en nuestro patio
con puños
pies
saliva
se pelean dos tipos
quiere uno
que le diga el otro
sabe que sabe
él no sabe
tampoco sabe el otro
se me acerca el psiquiatra
me concentro en no decirle
Tata Dios
¿quién tiene la razón?
digo
señalo
espero
él sonríe
y pregunta:
¿cómo van esos versos?

Traigo flores, dotor

Traigo flores, *dotor*
el recuerdo en once años
se ha marchitado un poco
y crece yerba en tu sepulcro.
Un enjambre de niños
nos asalta
nos asegura a gritos
que por sólo dos reales
la tendremos mañana
desyerbada.
Se impacienta mi hermano
no le han cumplido nunca
siguen llegando niños
nos rodean
ninguno tiene cara de cumplir
pero tal vez
niños ruidosos
ávidos
desafiando al silencio
a la desolación del cementerio
oscuros niños de ojos grandes
que levantan el rostro
y ofrecen cuidar muerte
por dos reales.
Traigo rosas,
gladiolos,
margaritas,
un ramito de pino
para que respires el olor a Nicaragua
a «Las Nubes»
sembrada según tú
sólo de pinos.
Fue tu sueño «Las Nubes»
regresar algún día
a ese aire limpio
a las quebradas

a los potros salvajes
al ganado
a tu paraíso terrenal.
Pagaste la hipoteca
tres veces la pagaste
del exilio
y nunca pudiste regresar.

«¿Sabes?» dice mi hermano
«cuando al fin pude ir
no había ningún pino
ni riachuelos
ni ganado.
Había arroyos secos
cardos enganchándose a la ropa
y un polvo fino
terco
que nos blanqueaba el pelo».

Siguen las lavanderas
enjuagando su ropa.
El amate
la ceiba
las palmeras
por este mismo rumbo
otra tarde de mayo
la alegría en tus ojos
tu sonrisa
dos niños a la orilla del camino
que te han visto y que saltan
agitando los brazos.
«Dotor, dotor» gritaban
tú los saludas desde el auto
y los dejas envueltos
en ráfagas de polvo.
Candelaria
Chalchuapa
el San Andrés florido

la curva estrecha y terca
que nos lleva a la finca
el portal de madera
la carreta en el patio
tu voz anunciando la visita:
«niña Chon, niña Chon»
un bullicio de perros
saliendo a nuestro encuentro
los abrazos
las risas
cuchicheos
«en seguida regreso»
la niña Chon me ofrece un atolito
un elote tostado
cuajada recién hecha.
Antonio que se acerca con el potrillo negro
y tú detrás
con tu entusiasmo
«es para tí» me dices
«para que tú lo montes»
mi alegría
mi miedo
me ayudas a montar
conduces al potrillo
por la brida
el bullicio de perros
otros niños que miran
y sonríen
el paseo entre cocos
y árboles de fuego
la niña Chon negando que era tarde
más atol
más cuajada
los adioses
las gracias
mi febril parloteo
los mismos niños de ojos grandes
acechando el regreso

«dotor, dotor» gritaban
tú detienes el auto
«¿cómo es posible?» dices
«han esperado mucho».
«Bien van a ser cuatro horas»
ríen los dos a coro
y te ofrecen un pollo
miel de abeja
y un racimo de mangos
y caimitos.

«Nunca lo supo el viejo
y menos mal
convirtieron su paraíso
en un infierno».

Tú dictaste tu clima
sembrabas pinos a tu alrededor
regalabas potrillos
peleabas con la muerte de los otros
les ayudabas a los niños a nacer.
Hemos dejado atrás
tu sepulcro con yerba
el recuerdo marchito
los niños con cara de no cumplir
olvidemos también
a los arroyos secos
los cardos
el polvo
olvidemos
al sobrino que se burló
de tu candor.
Ensilla ahora mismo
dos caballos
y llévame a tu prado de las nubes.

Amor

A Bud

Todos los que amo
están en ti
y tú
en todo lo que amo.

¿Por qué no?

¿Por qué no detenerme
en esa esquina
y sorprender a la muerte
por la espalda?

Ecología

Un enorme ciempiés
que se confunde
contra el fondo de cielo
y agua gris
tiene joroba
es negro
un hilo de humo gris
se eleva
se diluye
la silueta de un hombre
con caña de pescar
una mujer lavando
tres niños con el agua
hasta el mentón
una pata del monstruo
se ha encogido
con clavos oxidados

la restauran
con vendas de hojalata
se derrumba
señalo
van a morir aquí
sigue pescando el hombre
el agua está podrida
todos los peces muertos
una tabla se cierra
para atraparme el pie
pido socorro
exijo
me hacen burla los niños
con las caras cubiertas
de petróleo y algas
lloro
pateo
grito
el hombre sigue inmóvil
y la mujer lavando
me han oído los niños
tienen torcido el rostro
y me miran con miedo
socorro clamo yo
y ellos claman
so-co-rro.

Sorrow

A Roque Dalton

I

Voces que vienen
que van
que se confunden
cuando sepas que he muerto
no pronuncies mi nombre

sombras amigas
que pregonan
que rompen un instante
la neblina
una mano sin dedos
tocando la guitarra
una sola vibración
desesperada
que se levanta
huye
sigo buscando a ciegas
me sostiene
se escapa
¿eres tú Víctor Jara?
un enjambre de sombras
rostros que ya no existen
una palabra rota
pequeñas frases sueltas
que apenas si adivino:
listos para la muerte
listos para vencer
qué razón tenías guerrillero
te mataron a tiros
te ultrajaron
y saliste triunfante
de tu muerte
otra voz que se cruza
otro murmullo
un eco que me llega
se deshace
verde que
y es ola
y estrella
y transparencia
puedo escribir los versos más tristes esta noche.

II

Polvo asoleado
en el camino
no es difícil nombrar
los árboles
las calles
la torre de la iglesia
el río seco
pero hay una neblina enrarecida
que sólo cubre rostros
los rostros antes claros
se oscurecen
cuando quiero saber cómo llegar
a la tumba prohibida
del poeta
pregunto en el hotel
en el café
las miradas se turbian
las palabras
y los rostros se esfuman
y no entiendo
los ademanes vagos
las señales
el crimen fue en Granada
en su Granada
todo el mundo lo sabe
pero nadie es capaz
de un detalle preciso
de decir por ejemplo
allí mismo lo echaron
al borde de ese olivo
junto al cadáver joven
de un maestro con gafas
abro el mapa
me interno en el camino
polvoriento
rocoso

recojo algunas flores
y les sacudo el polvo
otro pueblo adelante
nadie sabe tampoco
sólo un viejo oficial
de arrugas amargadas
las mismas arrugas del camino
me responde arrogante
el poeta enemigo
barbotea
el maricón
y se aleja
encogiéndose de hombros
verde que te quiero verde
un polvo fino
obstinado
cubre los olivares
te negaron la lápida
ni siquiera un indicio
abro de nuevo el mapa
por aquí debe ser
doblé por la barranca
que se tragó los cuerpos
abajo el techo de la casa
el cuarto desolado
tu último peldaño intangible
real
cien metros más allá
la Fuente Grande
no te pusieron lápida
te hicieron el honor
de arrancar los olivos
combatientes
torcidos
cuántos siglos de aceituna
los pies y las manos presos
sol a sol y luna a luna
pesan sobre vuestros huesos

sólo un árbol dejaron
un olivo
ni una piedra que diga
aquí yace el poeta
pero alguien dejó un árbol
un olivo
alguien que supo
lo dejó.

III

Un tatuaje en la frente
nos señala
un obstinado brillo
en la mirada
de animal en acecho
de vigilia
de llanto endurecido
nos olfateamos
en el metro
nos buscamos los ojos
titubeantes
desviamos la mirada
y seguimos sin rumbo
por las calles heladas
nos apartamos del café
miramos de reojo
el periódico del quiosco
un olor a guayabo
nos asalta
la indiferencia del mundo
el mate atardecido
la burbuja punzante
del puchero
se ha deshecho la patria
se ha podrido
nos revolcamos en su podredumbre
y la gente se aparta
y no sabemos si es nuestro sudor

o la carroña de la patria
un vaho pegajoso
nos envuelve
un vaho con tufo a desamparo
a sueños estancados
a no tener un cinco en el bolsillo
nos obliga a encorvarnos
bajo el cuello grasiento del abrigo
seguimos nuestra marcha
husmeando al compañero
al mundo nada le importa
yira, yira
nos conocemos por la mueca
por la mirada húmeda
caminamos sin prisa
a la deriva
en busca de algún sitio
donde poder lavarnos
el tufo
la vergüenza
y huimos a los baños
donde todos los exiliados se congregan
y nadie tiene un cinco
y los hongos pululan
se nos llenan de hongos
los dedos de los pies
pero no importa
hay que arrancarse el tufo
de exiliado
de perro callejero
preferibles los hongos
que nos pican
nos desangran los pies
nos gritan desde adentro
me moriré en París con aguacero
un día del cual tengo ya el recuerdo.

IV

Obstinadas
confusas
me llegan las noticias
hechos truncados
fríos
frases contradictorias
que me acosan
así llegó tu muerte
Roque Dalton
la implacable noticia
de tu muerte
en los signos borrosos
de un periódico
en las exangües voces
de la radio
en imágenes rotas
imprecisas.
Fuiste atalaya
lumbre
con orgullo de sable
cortaste la tiniebla
y envolvieron tu muerte
en la neblina
es peligroso Roque
ir pregonando al Che
a Jesús
a Sandino
ignorar al caudillo
abrir los ojos
sentir que tu memoria
desencadena llagas
y cada llaga es llama
que se levanta y vuela
siguen llegando ecos
acusaciones falsas
y nunca sabré quién te mató
pero estás muerto

Roque Dalton
y envolvieron tu muerte
en la neblina.

V

Huimos a los museos
son casi tan baratos
como los baños públicos
vagamos por las salas
nos hundimos por horas
en un sofá de cuero
pretendiendo estudiar
un Corot
un Cezanne
y si el guardia se acerca
proferimos palabras
entusiasmos
y seguimos sentados otro rato
cierro los ojos
y surgen los olivos
los esclavos
cobran relieve la noche
el alba
el día
el mediodía
me refugio en los brazos
de la madre cultura
y descanso mis pies
llenos de hongos
los museos
los templos
otra vez surgen los esclavos
queriéndose evadir
de su matriz de piedra
que los fija
me esfuerzo en recordar
a la Pietá

al cristo con un pie
al cristo infante
los esclavos resurgen
los olivos
sus cuerpos retorcidos
me persiguen
salgo a la calle
a caminar sin rumbo
su mirada sin ojos
su deseo truncado
andaluces de Jaén
aceituneros altivos
decidme en el alma ¿quién
quién levantó los olivos?

VI

Sólo mis pasos
en la cera
de una taberna oscura
llegan ecos de tango
de milonga
olor a vino agrio
y a tabaco
me apresuro a la esquina
a la luz de neón que parpadea
una voz me detiene
una pregunta
el rostro se ilumina
y es azul
se vuelve rojo
grana
mientras busco en mi bolso la cerilla
una máscara blanca
que me observa
y se vuelve morada
es tu verdugo
Roque
lo ilumino de cerca

y sólo es un muchacho
aún imberbe
que con facciones laxas
me sonríe
la luz de nuevo azul
y ya se aleja
es tu verdugo
es él
y no me atrevo
y lo dejo pasar y me avergüenzo.

VII

¿Quién sembró los barrotes?
sólo una luz palúdica
me llega desde afuera
no hay sol
no hay pájaros
no hay verdes
en trozos verticales
me han recortado el cielo
toco mi piel tirante
a lo lejos escucho mi jadeo
necesito ser yo
salir de esta neblina
sacudirme el terror.
Con un carbón pulido
escribo algunas letras:
mi soledad
mi...
comienzan las voces
a llegarme
el telón de fondo
de las voces
punteado por un grito.
Un súbito silencio
de pavor
y otra vez con más brío.
A callar

nos chilla el carcelero
haciendo sonar llaves
en las rejas
nadie lo escucha
las voces de todos
confundidas
en un solemne
y obstinado coro
que sube
crece
se desborda.
Desde mi soledad
acompañada
alzo la voz
pregunto
y la respuesta es clara:
soy Georgina
soy Nelson
soy Raúl
de nuevo el torturado
su aullido
el silencio
con los ojos abiertos
me recuesto en el catre
ni una raja de luz
se apagó el aullido
empiezo a contar nombres
mi rosario de nombres
pienso en el otro
el próximo
que dormirá en mi catre
y escuchará el ruido
de los goznes
y cagará aquí mismo
en ese caño
llevando a cuestas
su cuota de terror
vuelvo obstinada

a mi rosario
no estoy sola
están ellos
los huéspedes de paso
apenas nos separa
una hoja de tiempo
una delgada tela
que desgarro
y hay vino
y guitarras
y hay tabaco
están Víctor
Violeta
el poeta pastor
salto alegre del catre
y tropiezo con Roque
llevo un dedo a mis labios
y se callan las risas
las guitarras
un enjambre de ojos
me acompaña
mientras grabo en el muro:
«más solos están ellos
que nosotros».

Y la octava

De nuevo el aullido
¿brota de mí
de ti?
Inexorable
grave
Melpómene
me escruta.
Paso frente a sus ojos
desde el centro turquesa
del mosaico
su fulgor me persigue

existen los barrotes
nos rodean
también existe el catre
y sus ángulos duros
y el poema río
que nos sostiene a todos
y es tan substantivo
como el catre
el poema que todos escribimos
con lágrimas
y uñas
y carbón.
Se terminó la fiesta
hay colillas deshechas en el suelo
y están rotos los vasos
y nos quedamos solos
sin guitarras
sin voz para cantar
y surge la pregunta
el desafío
decidme en el alma ¿quién
quién levantó los barrotes?

Tiempo

A Julio

Le di vuelta
a mi pasado
a mi futuro
y se encendió de pronto
mi presente.

Tamalitos de Cambray

(5.000.000 de tamalitos)

A Eduardo y Helena,
que me pidieron una
receta salvadoreña

Dos libras de masa de mestizo
media libra de lomo gachupín
cocido y bien picado
una cajita de pasas beata
dos cucharadas de leche de Malinche
una taza de agua bien rabiosa
un sofrito con cascos de conquistadores
tres cebollas jesuitas
una bolsita de oro multinacional
dos dientes de dragón
una zanahoria presidencial
dos cucharadas de alcahuetes
manteca de indios de Panchimalco
dos tomates ministeriales
media taza de azúcar televisora
dos gotas de lava del volcán
siete hojas de pito
(no seas malpensado es somnífero)
lo pones todo a cocer
a fuego lento
por quinientos años
y verás qué sabor.

Evasión

A Otto René Castillo

Hablábamos de Siva
de pájaros
de Barthes
te instalaste sin culpa
en medio de nosotros
y seguimos hablando
de pronto
en una pausa
interrumpiste el crochet
de nuestras frases
abriste de golpe la ventana
y nos mostraste a Claudio
reposando en su sangre
hubo un silencio
un alto
cerraste las persianas
y Graciela
empuñando de nuevo las agujas
anunció:
tengo que deshacer toda una hilera
he perdido los puntos.

Soy espejo

Brilla el agua
en mi piel
y no la siento
corre a chorros el agua
por mi espalda
no la siento
me froto con la toalla
me pellizco en un brazo

no me siento
aterrada me miro en el espejo
ella también se pincha
comienzo a vestirme
a tropezones
de los rincones brotan
relámpagos de gritos
ojos desorbitados
ratas que corren
dientes
aún no siento nada
me extravío en las calles:
niños con caras sucias
pidiéndome limosna
muchachas prostitutas
que no tienen quince años
todo es llaga en las calles
tanques que se aproximan
bayonetas alzadas
cuerpos que caen
llanto
por fin siento mi brazo
dejé de ser fantasma
me duele
luego existo
vuelvo a mirar la escena:
muchachos que corren
desangrados
mujeres con pánico
en el rostro
esta vez duele menos
me pellizco de nuevo y ya no siento nada
simplemente reflejo
lo que pasa a mi lado
los tanques
no son tanques
ni los gritos
son gritos

soy un espejo plano
en que nada penetra
mi superficie
es dura
es brillante
es pulida
me convertí en espejo
y estoy descarnada
apenas si conservo
una memoria vaga
del dolor.

Eramos tres

A Paco, a Rodolfo

Era invierno con nieve
era de noche
hoy es día de verdes
de pájaros
de sol
día de cenizas
y lamentos
me empuja el viento
me lleva por el puente
por la tierra agrietada
por el arroyo seco
rebosante de plásticos y latas
la muerte cobra vida
aquí en Deyá
los arroyos
los puentes
mis muertos acechando
en cada esquina
las rejas inocentes
de un balcón
el reflejo borroso

de mis muertos
me sonríen de lejos
se despiden
salen del cementerio
forman muro
se me vuelve translúcida
la piel
me tocan a la puerta
gesticulan
era de piedra el puente
era de noche
los brazos enlazados
por el vaivén de un canto
como pequeñas nubes congeladas
nos salía el aliento
de las bocas
era invierno con nieve
éramos tres
hoy la tierra está seca
reverbera
se me caen los brazos
estoy sola
montan guardia mis muertos
me hacen señas
me asaltan por la radio
en el periódico
el muro de mis muertos
se levanta
se extiende de Aconcagua
hasta el Izalco
continúan su lucha
marcan rumbos
era de piedra el puente
era de noche
nadie sabe decir
cómo murieron
sus voces perseguidas
se confunden

murieron en la cárcel
torturados
se levantan mis muertos
tienen rabia
las calles están solas
me hacen guiños
soy cementerio apátrida
no caben.

Flores del volcán

A Roberto y Ana María

Catorce volcanes se levantan
en mi país memoria
en mi país de mito
que día a día invento
catorce volcanes de follaje y piedra
donde nubes extrañas se detienen
y a veces el chillido
de un pájaro extraviado.
¿Quién dijo que era verde mi país?
es más rojo
es más gris
es más violento:
el Izalco que ruge
exigiendo más vidas
los eternos chacmol
que recogen la sangre
y los que beben sangre
del chacmol
y los huérfanos grises
y el volcán babeando
toda esa lava incandescente
y el guerrillero muerto
y los mil rostros traicionados
y los niños que miran

para contar la historia.
No nos quedó ni un reino
uno a uno cayeron
a lo largo de América
el acero sonaba
en los palacios
en las calles
en los bosques
y saqueaban el templo
los centauros
y se alejaba el oro
y se sigue alejando
en barcos yanquis
el oro del café
mezclado con la sangre
mezclado con el látigo
y la sangre.
El sacerdote huía
dando gritos
en medio de la noche
convocaba a sus fieles
y abrían el pecho de un guerrero
para ofrecerle al Chac
su corazón humeante.
Nadie cree in Izalco
que Tlaloc esté muerto
por más televisores
heladeras
toyotas
el ciclo ya se acerca
es extraño el silencio del volcán
desde que dejó de respirar
Centroamérica tiembla
se derrumbó Managua
se hundió la tierra en Guatemala
el huracán Fifí
arrasó con Honduras
dicen que los yanquis lo desviaron
que iba hacia Florida

y lo desviaron
el oro del café
desembarca en New York
allí lo tuestan
lo trituran
lo envasan
y le ponen un precio.
«Siete de junio
noche fatal
bailando el tango
la capital.»
Desde la terraza ensombrecida
se domina el volcán San Salvador
le suben por los flancos
mansiones de dos pisos
protegidas por muros
de cuatro metros de alto
le suben rejas y jardines
con rosas de Inglaterra
y araucarias enanas
y pinos de Uruguay
un poco más arriba
ya en el cráter
hundidos en el cráter
viven gentes del pueblo
que cultivan sus flores
y envían a sus niños a venderlas.
El ciclo ya se acerca
las flores cuscatlecas
se llevan bien con la ceniza
crecen grandes y fuertes
y lustrosas
bajan los niños del volcán
bajan como la lava
con sus ramos de flores
como raíces bajan
como ríos
se va acercando el ciclo

los que viven en casas de dos pisos
protegidas del robo por los muros
se asoman al balcón
ven esa ola roja
que desciende
y ahogan en whisky su temor
sólo son pobres niños
con flores del volcán
con jacintos
y pascuas
y mulatas
pero crece la ola
que se los va a tragar
porque el chacmol de turno
sigue exigiendo sangre
porque se acerca el ciclo
porque Tlaloc no ha muerto.

Sobrevivo

Sobrevivo.
Alegrovosamente
so
   bre
      vi
         vo.

LA MUJER DEL RIO SUMPUL
(1979-1981)

Oficio innecesario

A Serafín

Se le escapan al poeta las palabras
las persigue con rabia
las putea
le valen horas
de acecho
y ansiedad.
¿Por qué esforzarse tanto?
El producto final
es siempre menos sustantivo
que un pedazo de pan.

Estelí I

A Leonel Rugama

Estelí
río del este
después de cuarenta años
de sequía
de despojos
de burla
de césares rapaces
se ha llenado tu cauce.
Con lodo y sangre

se ha llenado
con cartuchos vacíos
y con sangre
con camisas
pantalones
y cadáveres
pegándose como algas
a las rocas.
Un hedor sofocante
emana de tu río.
Estelí
río del este
tus náufragos no pueden ocuparse
caminan cabizbajos
merodean
buscan en los escombros
esas tijeras rotas
esa máquina Singer.
El río de Estelí
está chorreando sangre
y fueron tus hijastros
tus hijastros vestidos
de guardias nacionales
tus hijastros desatados
por Somoza
adiestrados
amaestrados
y castrados
por Somoza
y mercenarios lucrados
de Somoza
tus hijastros mal pagados
por el hijastro Somoza
los que lanzaron fuego
y destruyeron.
Estelí
río del este
estás llorando sangre.

Desahogo fugaz

A Alexandre

Soy una chispa
en la tierra
un desahogo fugaz
del corazón que nos piensa.

Desde el puente

He salido por fin
me ha costado salir
casi al final del puente
me detengo
el agua corre abajo
es un agua revuelta
arrastrando vestigios:
la voz de Carmen Lira
rostros que yo quería
y que pasaron.
Desde aquí
desde el puente
la perspectiva cambia
miro hacia atrás
hacia el comienzo:
la silueta indecisa
de una niña
de la mano le cuelga
una muñeca
la ha dejado caer
viene hacia mí la niña
ya es una adolescente
se recoge el cabello
y reconozco el gesto
detente ahí muchacha

si te acercas ahora
sería difícil conversar:
don Chico ya murió
después de siete operaciones
lo dejaron morir
en un pobre hospital
cerraron el colegio de Ricardo
y él también murió
durante el terremoto
le falló el corazón
¿recuerdas la masacre
que dejó sin hombres
a Izalco?
Tenías siete años
¿cómo podré explicarte
que no ha cambiado nada
y que siguen matando diariamente?
Más vale que no sigas
te recuerdo bien a esa edad
escribías poemas almibarados
sentías horror por la violencia
enseñabas a leer
a los niños del barrio
¿qué dirías
si te contara que Pedro
tu mejor alumno
se pudrió en una cárcel
y que Sarita
la niña de ojos zarcos
que se inventaba cuentos
se dejó seducir
por el hijo mayor
de sus patrones
y después se vendía
por dos reales?
Has dado un paso más
llevas el pelo corto
y algunos textos

bajo el brazo
pobre ilusa
aprendiste la consolación
de la filosofía
antes de entender
de qué había que consolarse
tus libros te hablaban
de justicia
y cuidadosamente omitían
la inmundicia que nos rodea
desde siempre
tú seguías con tus versos
buscabas el orden en el caos
y ese fue tu norte
o quizá tu condena.
Te acercas más ahora
cuelgan niños de tus brazos
es fácil distraerse
con el papel de madre
y reducir el mundo
a un hogar.
Detente
no te acerques
aún no podrías reconocerme
aún tienes que pasar
por las muertes de Roque
de Rodolfo
por todas esas muertes
innumerables
que te asaltan
te acosan
te definen
para poder vestir este plumaje
(mi plumaje de luto)
para mirar
con estos ojos
despiadados
escrutadores

para tener mis garras
y este pico afilado.
Nunca encontré el orden
que buscaba
siempre un desorden siniestro
y bien planificado
un desorden dosificado
que crece en manos
de los que ostentan el poder
mientras los otros
los que claman
por un mundo más cálido
con un menos de hambre
y un más de esperanza
mueren torturados
en la cárcel.
No te acerques más
hay un tufo a carroña
que me envuelve.

Deyá

Para Aurora

Aquí todos caminamos por los muros
sólo algunos lo saben
la mayoría piensa
que sigue caminando
en tierra firme.

El muro de las sonrisas

A Maya

Cuando el amor se aja
se marchita
se te vuelve amarillo
no hay remedio
sólo te queda
la sonrisa.
Cuando te sientes sola
entre sus brazos
y tu piel es frontera
y no te brota el llanto
sólo te queda
la sonrisa.
Cuando el canto se oxida
y el paisaje
y todo lo vivido
es un espectro
tu único refugio
es la sonrisa:
ese muro cerrado
impenetrable
sin ayeres
sin hoy
y sin mañanas
donde todos los sueños
se hacen trizas.

Extraño huésped

Es extraño este huésped
este amor
cuanto más me despoja
más me colma.

Soy los otros soy yo

Son enormes las olas
abro los brazos
mis goznes
no chirrían
soy pájaro
soy pez
soy un pez volador
que se libera.
¿Cuándo saldrás de allí?
me hiere tu sonrisa
tu salvaje alegría
la curva ascendente
de tu vida
que ahora se tropieza
con las rejas.
«No me digas adiós
es hasta luego
hasta la patria
liberada
tú te quedas aquí
yo me voy a la lucha
tú enterrando tus dudas
yo cargando pistolas
tú escondiendo
al hermano
yo al acecho
en el monte.»
Ya no es una la voz
es un coro de voces
soy los otros
soy yo
es un río de voces
que se alza
que me habla de la cárcel
del adiós
del dolor

del hasta luego
se confunden las voces
y los rostros se apagan
¿quién le quitó a ese niño
su alegría?

Ese beso

Ese beso de ayer
me abrió la puerta
y todos los recuerdos
que yo creí fantasmas
se levantaron tercos
a morderme.

Quiero ser todo en el amor

Quiero ser todo en el amor
el amante
la amada
el vértigo
la brisa
el agua que refleja
y esa nube blanca
vaporosa
indecisa
que nos cubre un instante.

La mujer del río Sumpul

Ven conmigo
subamos al volcán
para llegar al cráter
hay que romper la niebla

allí adentro
en el cráter
burbujea la historia:
Atlacatl
Alvarado
Morazán
y Martí
y todo ese gran pueblo
que hoy apuesta.
Desciende por las nubes
hacia el juego de verdes
que cintila:
los amates
la ceiba
el cafetal
mira los zopilotes
esperando el festín.
«Yo estuve mucho rato
en el chorro del río»
explica la mujer
«un niño de cinco años
me pedía salir.
Cuando llegó el ejército
haciendo la barbarie
nosotros tratamos de arrancar.
Fue el catorce de mayo
cuando empezamos a correr.
Tres hijos me mataron
en la huida al hombre mío
se lo llevaron amarrado».
Por ellos llora la mujer
llora en silencio
con su hijo menor
entre los brazos.
«Cuando llegaron los soldados
yo me hacía la muerta
tenía miedo que mi cipote
empezara a llorar

y lo mataran.»
Consuela en susurros
a su niño
lo arrulla con su llanto
arranca hojas de un árbol
y le dice:
mira hacia el sol
por esta hoja
y el niño sonríe
y ella se cubre el rostro de hojas
para que él no llore
para que vea el mundo
a través de las hojas y no llore
mientras pasan los guardias
rastreando.
Cayó herida
entre dos peñas
junto al río Sumpul
allí quedó botada
con el niño que quiere
salir del agua
y con el suyo.
Las hormigas le suben
por las piernas
se tapa las piernas
con más hojas
y su niño sonríe
y el otro callado
la contempla
ha visto a los guardias
y no se atreve a hablar
a preguntar.
La mujer junto al río esperaba la muerte
no la vieron los guardias
y pasaron de largo
los niños no lloraron
fue la Virgen del Carmen
se repite en silencio
un zopilote arriba

hace círculos lentos
lo mira la mujer
y lo miran los niños
el zopilote baja
y no los ve
es la Virgen del Carmen
repite la mujer
el zopilote vuela
frente a ellos
con su carga de cohetes
y los niños lo miran
y sonríen
da dos vueltas
tres vueltas
y empieza a subir
me ha salvado la Virgen
exclama la mujer
y se cubre la herida
con más hojas
se ha vuelto transparente
se confunde su cuerpo con la tierra
y las hojas
es la tierra
es el agua
es el planeta
la madre tierra
húmeda
rezumando ternura
la madre tierra herida
mira esa grieta honda
que se le abre
la herida está sangrando
lanza lava el volcán
una lava rabiosa
amasada con sangre
se ha convertido en lava
nuestra historia
en pueblo incandescente

que se confunde con la tierra
en guerrilleros invisibles
que bajan en cascadas
transparentes
los guardias
no los ven
ni los ven los pilotos
que calculan los muertos
ni el estratega yanqui
que confía en sus zopilotes
artillados
ni los cinco cadáveres
de lentes ahumados
que gobiernan.
Son ciegos a la lava
al pueblo incandescente
a los guerrilleros disfrazados
de ancianos centinelas
y de niños correo
de reponsables de tugurios
de seguridad
de curas conductores
de cuadros clandestinos
de pordioseros sucios
sentados en las gradas
de la iglesia
que vigilan la guardia.
La mujer de Sumpul
está allí con sus niños
uno duerme en sus brazos
y el otro camina.
Cuénteme lo que vio
le dice el periodista.
«Yo estuve mucho rato
en el chorro del río.»

INDICE

Pagaré a cobrar (1970-1973)

Raíces (1973-1975)

Sobrevivo (1976-1977)

La mujer del río Sumpul (1979-1981)

183

WITHDRAWN